长期排污河对地下水影响的试验研究

李志萍　陈肖刚　著

U0286517

黄 河 水 利 出 版 社

图书在版编目(CIP)数据

长期排污河对地下水影响的试验研究/李志萍,陈肖
刚著.—郑州:黄河水利出版社,2006.8
ISBN 7－80734－096－7

Ⅰ.长…　Ⅱ.①李…②陈…　Ⅲ.河流污染－影响－
地下水污染－试验－研究　Ⅳ.X52－33

中国版本图书馆 CIP 数据核字(2006)第 085792 号

组稿编辑:王路平　电话:0371－66022212　E-mail:wlp@yrcp.com

出　版　社:黄河水利出版社
　　　　　　地址:河南省郑州市金水路 11 号　　邮政编码:450003
发行单位:黄河水利出版社
　　　　　　发行部电话:0371－66026940　　传真:0371－66022620
　　　　　　E-mail:hhslcbs@126.com
承印单位:黄河水利委员会印刷厂
开本:850 mm×1 168 mm　1/32
印张:4.75
字数:120 千字　　　　　　　　　　印数:1—1 800
版次:2006 年 9 月第 1 版　　　　　印次:2006 年 9 月第 1 次印刷
书号:ISBN 7－80734－096－7/X·21　　　　定价:12.00 元

前　言

　　19世纪,随着工业的发展,世界河流污染状况日益严重。我国污水年排放量达数百亿吨,80%的污水未经处理就直接排入江河湖海,造成地表水体的严重污染。我国地下水供水量达到总供水量的18.8%,目前已监测的118个城市的地下水水质,有64%的城市受到严重污染,33%为轻度污染,其中尤以北方地区最为严重,地下水污染总体呈由点到面的发展趋势。

　　本书以北京市凉水河为例,就长期排污河对地下水的影响进行了系统研究。查明排污河是不是地下水污染的一个污染来源,以及排污河清淤、清水回灌后是否会对地下水造成二次污染。该研究具有十分重要的现实意义,其成果可以为污水河治理工作提供重要的科学依据,亦可为水资源规划、管理和保护提供科学依据。

　　研究采用室内模拟柱实验和野外现场试验相结合的方法。室内研究各种不同污染物在不同岩性条件下迁移转化的机理、影响因素及动态特征,分析水中与土中污染物量之间的关系,探讨排污河水污染地下水的可能程度,并通过野外实地抽水试验来探讨排污河水到底对地下水有无影响,影响的程度如何,哪些污染组分容易对地下水造成污染,污染的范围有多大等问题;通过室内模拟实验,研究排污河还清后河床中残留污染物的释放规律及对地下水的影响,为北京市及全国污水河的治理提供可靠的科学依据。

　　本书第一章介绍了世界及中国河流、地下水污染现状,本次研究的方法及技术路线;第二章通过室内模拟柱实验,探讨了长期排污河中不同污染物对地下水影响的动态特征、影响因素及迁移转化机理;第三章进行了长期排污河对地下水影响的野外试验研究,包括凉水河土样分析、凉水河对浅层地下水影响的探讨;第四章探讨了排污河还清后河床中残留污染物对地下水的影响;第五章为结论和建议。

本书由以下项目资助:①国家重点基础研究发展规划项目——首都北京及周边地区大气、水、土环境污染机理与调控原理:北京市城近郊区浅层地下水水质变化和污染的动力学过程(G1999045706);②国家自然科学基金项目——浅层地下水系统污染敏感性及其内在净化功能(49832005);③北京市地下水有机污染调查(19991200005034)。

在本书的编写过程中,得到了中国地质大学(北京)诸多老师和同学的帮助,他们无私、真诚的帮助是本书出版的源动力,这里要感谢沈照理教授、钟佐燊教授、陈鸿汉教授、汤鸣皋教授、蒋景诚教授、刘菲博士、何江涛博士后、李海明博士、张金炳博士、张达政硕士、宋志勇硕士等。感谢我的家人为支持我的工作和学习所付出的艰辛和努力。最后要特别感谢黄河水利出版社的王路平先生对本书编、审所做出的辛勤工作。

由于作者水平有限,书中不妥之处难免,恳请读者批评指正!

作 者

2006 年 6 月

目 录

第一章 引 言

第一节 世界河流污染及其治理状况

19世纪,随着欧美资本主义工业的发展,河流污染状况日益严重。英国的泰晤士河、美国的威拉米特河及欧洲的莱茵河就是很好的例子[1]。

泰晤士河在18世纪曾经河水清澈见底,水产丰富,风景秀丽。到了19世纪,随着英国资本主义工业的发展,泰晤士河的水质日趋恶化,1800年该河每天污染负荷量达450多吨,1850年猛增到900多吨,河水污染几乎达到饱和,水生生物几乎灭绝。1910年,泰晤士河每天污染负荷达到2 745万t。20世纪20年代以后,英国各大河沿河口岸的工业更加集中,工业废水连同生活污水一起排入泰晤士河,造成河流严重缺氧。特别在1953年,河流下游的溶解氧降至历史最低水平,硫化物高达14 mg/L,许多河段在夏季出现了严重的恶臭。

美国的威拉米特河由于沿岸的城市污水及造纸厂、水果蔬菜加工厂等的有机废水排入河道,河流的水质逐步恶化,到1938年水质污染已相当严重,在低流量时期,河流下游波特兰港的溶解氧几乎测不出来。

莱茵河流经瑞士、德国、法国、荷兰和卢森堡,是西欧的大动脉。随着莱茵河流域的人口密集、工业发展、航运频繁、矿山开采、农业集约化程度的提高等,从20世纪50年代以来,莱茵河开始出现污染。据统计,每天有 $5.0 \times 10^7 \sim 6.0 \times 10^7 \ m^3$ 的工业和生活污水排入莱茵河。1971年枯水期,水质污染已极其严重,水中

COD 达到 30～130 mg/L, BOD 达到 5～15 mg/L, 最严重的污染使得 100 多 km 长的河段完全无氧[2]。

被称为美国西南部生命线的科罗拉多河、埃及的尼罗河及苏联的阿木尔河和锡尔河等, 由于人们对其水资源不合理的大规模开发利用, 也都出现了河道萎缩、水质恶化、下游湿地面积大幅度减少、不少野生生物濒临灭绝等一系列问题。

值得一提的是流经欧洲 11 个国家, 最终注入黑海的欧洲第一大河——多瑙河。1999 年, 多瑙河遭受了科索沃战争带来的一场浩劫。北约在轰炸了南联盟的潘切沃石油化工综合企业和诺维萨德的炼油厂后, 大量有毒污染物质流入多瑙河及其支流, 并向下游地区扩散, 对那些使用多瑙河水的许多城镇构成威胁。2000 年 1 月 30 日, 罗马尼亚一座金矿污水沉淀池发生泄露事故, 100 m³ 含有大量氰化物及铅、汞等重金属的有毒物质流入多瑙河, 匈牙利、保加利亚等多瑙河下游国家深受其害。除了这两大事故外, 多瑙河多年来还接纳了大量的工业和生活污水, 其沿岸的城镇中, 每年约有 1/6 的工业废水和 40% 以上的生活污水未经处理就排入水域。污染的多瑙河注入黑海, 致使黑海的生态环境日益恶化。

从 20 世纪 60 年代开始, 发达国家开展了大规模的污染河流治理工作[1]。如 1968 年, 英国议会通过污染防治法案, 规定各工厂的污水排放标准; 对已有污水处理厂进行了大规模改建、扩建和重建; 采取人工充氧措施来降低泰晤士河的污染负荷。1988 年, 泰晤士河流域日处理污水能力 360 万 t, 人均日处理能力 311 kg。1957 年, 州政府规定: 威拉米特河流域的工业废水要经过 2～3 级处理, 沿河城镇生活污水必须采取二级处理等。1961～1971 年, 西德政府共投资了 68 亿马克用于治理莱茵河, 1971 年以后, 每年用于治理莱茵河的投资为 14 亿马克。自 20 世纪 60 年代以来, 西德在莱茵河沿岸陆续修建了 100 多个污水处理厂, 1971～1983 年间, 污水的处理率由 30% 上升到 80% 多[2], 并向污染严重的河段采取人工充氧措施,大大改善了河流的水质状况。

第二节 中国河流及地下水污染状况

据中华人民共和国水利部 2000 年中国水资源公报:2000 年全国废污水排放总量为 620 亿 t(不包括火电直流冷却水);其中工业废水占 66%,生活污水占 34%。废污水年排放量大于 20 亿 t 的省(自治区)有 12 个。我国污水处理率很低,如 1995 年北京市的污水集中处理率仅为 22%,80% 的污水未经处理就直接排入江河湖海,造成地表水体的严重污染。

2000 年,河流水质在 11.4 万 km 评价河长中,Ⅰ类水质河长占 4.9%,Ⅱ类水质河长占 24.0%,Ⅲ类水质河长占 29.8%,Ⅳ类水质河长占 16.1%,Ⅴ类水质河长占 8.1%,劣Ⅴ类水质河长占 17.1%。全国符合和优于Ⅲ类水质的河长占评价河长的 58.7%,比上年减少了 3.7 个百分点。各流域片的水质状况是:内陆河片、西南诸河片、东南诸河片、长江片和珠江片水质良好或尚可,符合和优于Ⅲ类的河长分别占 90.7%、83.2%、74.1%、74.0%、63.1%;黄河片、海河片、松辽河片、淮河片水质较差,符合和优于Ⅲ类的河长分别占 46.7%、34.9%、33.7%、26.2%。河流主要污染指标有 COD、BOD_5、铵氮、挥发酚及各种重金属等。

改革开放以来,我国经济开始突飞猛进的发展,但与此同时也付出了生态环境严重恶化的惨痛代价,可以说我们在重复走西方发达国家在 20 世纪 50~60 年代所走过的老路。"九五"计划实施以来,我国也开展了大规模的水污染治理工作。虽然各流域的水环境质量有了一定的改善,部分河段明显好转,但从总体上看,仍处于较高的污染水平,尤其是在水污染严重的淮河、海河和辽河流域。从国外河流的治理经验来看,一个强有力的具有综合决策和协调手段的流域管理机构是治理流域水污染的基本条件,其次,可

靠的资金保障也是必不可少的。莱茵河 100 多年的治理费用高达
300 多亿英镑,每年用于治理莱茵河的资金为 14 亿马克。从治理
的时间、经验和效果来说,我国远不能和发达国家相比,由于起步
晚,经济基础薄弱,我国的水资源形势相当严峻。

　　我国地下水供水量达到总供水量的 18.8%,但地下水污染总
体呈由点到面的发展趋势。目前,已监测的 118 个城市的地下水
水质,有 64% 的城市受到严重污染,33% 为轻度污染。其中尤以
北方地区最为严重,主要污染指标为总硬度、硫酸盐、亚硝酸盐、
汞、氯化物、铵氮、COD 等(见表 1-1)。

表 1-1　北方五省区地下水资源质量情况

参数	评价城市数	I 类		II 类		III 类		IV 类		V 类	
		个数	所占百分比(%)	个数	所占百分比(%)	个数	所占百分比(%)	个数	所占百分比(%)	个数	所占百分比(%)
总硬度	52	3	5.8	16	30.8	15	28.8	5	9.6	13	25
硫酸盐	25	6	24	7	28	4	16	1	4	7	28
亚硝酸盐	25	6	24	11	44	1	4	6	24	1	4
汞	15	4	26.7	6	40	2	13.3	0	0	3	20
氯化物	33	11	33.3	9	27.3	7	21.2	4	12.1	2	6.1
铵氮	26	11	42.3	0	0	10	38.5	3	11.5	2	7.7
COD	22	13	59.1	3	13.6	3	13.6	2	9.1	1	4.6

注:本表摘自《中国资源信息》,中国环境科学出版社 2000 年 4 月出版。

　　北京市可利用水资源包括地表水和地下水两部分。目前,地
下水占全市供水量的 2/3 左右,是国际上为数不多的以地下水作
为城市主要供水水源的大都市。北京又是一个缺水的城市,人均
占有水量不足 400 m³,是全国人均占有量的 1/6,世界人均占有量
的 1/25。

北京市水污染程度不断加剧。1995 年全市年排污水(包括生活污水和工业废水)总量为 12.7 亿 m^3,其中市区为 8 亿 m^3。市区的污水集中处理率仅为 22%,大量未经处理的污水排入河道和渗井、渗坑,加之农田过量施用农药和化肥,使得河湖水体和地下水受到严重污染。据对全市 81 条河流 2 150 km 的河段监测,有 95% 的水体受到不同程度的污染,城市下游河道多为超 V 类水体,基本没有生物存活。如地处北京市东南方向的通州区,由于上游大量污水的汇入,加之本区的工业废水和生活污水的排入,造成界内地表水污染严重。水体中主要污染物为耗氧有机物、铵氮、油类和挥发酚。本区内所有河流均属重度以上污染,污染最严重的河段是通惠河。如通惠河的污染指数枯水年为 6.40,丰水年为 5.44;凉水河的污染指数枯水年为 5.50,丰水年为 4.81,均为重度污染[3]。

北京市饮用水源也受到污染的威胁,将近一半平原区浅层地下水受到不同程度的污染,目前地下水污染最为严重的是位于永定河流域的丰台区。北京市城近郊区地下水水质两极分化明显,城近郊区地下水水质已受到相当严重的污染,而远郊区县地下水水质相对较好,主要污染物为总硬度和硝酸盐氮。1998 年总硬度超标面积为 276.4 km^2,硝酸盐氮超标面积为 148.9 km^2,亚硝酸盐氮和铵氮在某些地区监测超标,地下水中毒性指标如挥发性酚、氰化物、六价铬和砷也有不同程度检出,在东南污灌区的浅水井和深水井中均有多种有机物检出,说明地下水污染突出。

综上所述,世界上大多数河流都受到了不同程度的污染,而我国作为发展中国家河流污染问题尤其严重。在我国北方,地下水资源作为一种重要的供水水源,其水质也日益恶化。我们的首都——北京作为一个国际化的大都市,其水资源形势非常严峻,不仅水资源日益紧缺,而且现有地表水和地下水污染严重,水资源问题将直接制约北京经济的迅速发展。为此,围绕这个问题,不少研究工作已经展开,中国地质大学(北京)在新一轮国土资源大调查中承担了项目"北京地下水有机污染调查(19991200005034)"、"国家重点基础研究发展规划项目——首都北京及周边地区大气、水、土环境污染机理与调控原理:北京市城近郊区浅层地下水水质变化和污染的动力学过程(G1999045706)"及"国家自然科学基金项目——浅层地下水系统污染敏感性及其内在净化功能(49832005)"。以上述项目为依托,选择了长期排污河对地下水的影响为主要研究方向,主要目的是通过系统研究,以期回答下列问题:天然条件下长期排污河究竟会不会对地下水带来污染? 河水中哪些污染组分容易进入地下水? 其污染机理是什么? 另外,排污河从感官性状指标来说,如北京的凉水河,河水颜色发黑,臭味熏天,严重影响了周围大气、土壤环境质量,与北京首都国际化大都市的城市形象非常不符。为了迎接 2008 年奥运会,提高环境质量,目前北京市政府已决心着手治理排污河渠,开展清淤、清水回灌的工作,欲变黑水河为清水河,为首都北京环境的彻底改善增添亮点。这固然是一件利国、利民的好事,但是作为水文地质和环境工作者,我们又不得不考虑当清淤、清水回灌后,清水会不会把截留在河床下部渗透介质中的污染物质带回到地下水中,造成对地下水的污染。因此,查明排污河是不是北京市地下水污染的一个污染来源,及清淤、清水回灌后是否会对地下水造成污染,具有十分重要的现实意义,可以为北京市政府污水河治理工作提供重要的科学依据,为首都水资源规划、管理和保护提供科学依据,同时,也可为在我国其他城市开展污水河治理工作提供理论依据和宝贵经验。

第三节　　研究现状

前面已经提到,从 20 世纪 60 年代开始,发达国家就着手治理河流污染问题,并且取得了很好的效果,所以国外关于污染河流对地下水化学环境影响的研究很少。土耳其的 K.Kayabali 等[4] 研究了严重污染的 Ankara 河对邻近冲积含水层系统的影响,在 Ankara 市境内沿 Ankara 河 50 km 范围内设有 5 个河水取样站,并在此范围内选取了 25 个距河不同距离的水井,于 1996 年分别在每个水点取样 5 次做化学分析和对比研究,得出结论:①由于 Ankara 市没有一个有效的污水和暴雨收集系统,城市东郊的工厂,特别是大理石加工厂未经处理的废水直接排入河中,以及城市中心严重污染的废污水直接排入河中,造成 Ankara 河严重污染;②25 个水井中没有一个满足饮用水标准,都有一个或多个指标超标,1996 年监测的水井全部受到化学污染,除两个水井外,其余全部细菌超标,最常见的超标参数为 TDS、Mn、SO_4^{2-} 和细菌;③在研究河水对地下水的影响时主要考虑了总氮、总磷、有机质和细菌 4 个指标,选择了地表水污染最为严重的城市中部的 W7~W13 水井作为研究对象,它们到河的距离为 175~925 m,研究结果表明,总氮、总磷、有机质和细菌的浓度和距河远近无简单的相关关系;④最后的结论是 Ankara 河对地下水污染没有很大的影响。原因有两个:一是河床底部被很细的物质覆盖,它提供了天然屏障,阻止污染河水向地下水的渗漏;二是随距离的增加污染物浓度迅速减小。目前,Ankara 冲积含水层系统的地下水污染大部分归因于地表径流,另外,点源的工业污染也是地下水污染的一个重要来源。

国内有河海大学的吴耀国等[5] 对徐州奎河沿岸土壤和地下水化学环境的影响进行了研究,得出结论:①奎河由于接纳了沿岸的工业和生活污水而遭受污染,主要污染组分为 COD、NH_4^+、酚和 Cl^- 等,因农业用水的需要,沿河设置多道节制闸,抬高了水位,致使污染河流对其沿岸的土壤和地下水环境产生了影响;②受污染河流的影响,土壤中原有部分组分流失,从而出现沿岸土壤中有机质与总氮明显低于远河道处,而河水中的某些污染组分,如铵氮,在沿岸土壤中的含量较高;③受污染河流的影响,沿岸地下水中的污染组分浓度较高,并且污染组分的浓度随与河流距离的增加而减小。

其他的有关污染河流对地下水化学环境影响的研究还未见报道。

第四节　研究内容和技术路线

为了达到上述研究目的,作者首先查阅了国内外大量的相关专业文献,然后根据北京市实际存在的水资源问题,紧紧围绕"浅层地下水系统污染敏感性及其内在净化功能"和"长期排污河渠对地下水污染过程模拟"两条主线,采用室内动态模拟实验和野外现场试验相结合的手段,室内研究各种不同污染物在不同岩性条件下迁移转化的机理、影响因素及动态特征,分析水、土中污染物的量之间的关系,探讨排污河水污染地下水的可能程度,并通过野外实地抽水试验来回答排污河水到底对地下水有无影响,影响的程度如何,哪些污染组分容易对地下水造成污染,污染的范围有多大等问题,为北京市及全国的污水河的治理提供可靠的科学依据。

具体的研究内容和技术路线如下:

(1)研究饱水情况下污染组分在不同岩性介质中的迁移转化规律及各种不同污染组分的去除机理。

(2)研究当渗透介质被污染物质堵塞,变为非饱水情况下,污染组分在不同岩性介质中的迁移转化规律及各种不同污染组分的去除机理。

以上两部分研究内容的完成主要是通过室内土柱试验,即由实验室配水模拟排污河水,测定其污染组分在不同渗透介质(一种粗砂和两种中砂)、不同深度(0.2 m、0.4 m、0.6 m、0.8 m、1.0 m和1.2 m)及不同时间的浓度变化情况,总结其迁移规律,探讨其去除机理。

(3)研究排污河下部土壤对污染河流中污染物的去除和净化所发挥的作用。具体的实施方法是在凉水河边打洛阳铲孔，分别取其不同深度——0.2 m、0.4 m、0.6 m、0.8 m和1.0 m的土样做化学分析。

(4)研究凉水河的污染范围有多大。主要是通过凉水河及距河不同距离的水井的污染物浓度的对比，从而确定其污染范围。

(5)研究凉水河这条排污河究竟对地下水有无直接影响，哪些组分更容易进入地下水，作为对室内实验结果的补充、拓展和验证。主要通过在凉水河边打井、进行实地抽水来完成，具体方法为：分别在距河不同距离的水井中连续抽水，同时连续监测各水井污染物浓度变化情况，并和河水污染物浓度对比，从而判断排污河对地下水有无直接影响。

(6)研究排污河还清后河床中残留污染物的释放规律。主要通过室内土柱试验完成，具体方法为：用自来水代替原来的试验配水通过试验土柱，测定出水中污染物浓度，研究截留在渗透介质中的污染物是否能被清水带到地下水中，造成地下水的污染。

(7)研究排污河污染物中大概有多少可能被带到地下水中对其造成污染。具体研究方法是：清水回灌结束后，测定出截留在渗透介质中各种污染物的量及存在形式，进行污染物的质量平衡分析，即随污水进入柱体的污染物的总量，从柱体下端流出的污染物的量，清水回灌时被清水带出柱体的污染物的量，最后残留在柱体内的污染物的量，通过分析以上各种量之间的关系，来推断排污河对地下水影响的程度。

第二章　长期排污河对地下水影响的室内模拟柱试验研究

为了研究长期排污河对地下水的影响,作者设计了室内柱试验,即采用试验配水模拟排污河水,使其长期地通过厚度一定、岩性各异的土柱,以此来模拟排污河水通过河床下部渗透介质向下渗透的水动力学和水化学过程,通过对污染物浓度变化的监测和分析,研究长期排污河污染地下水的可能性、污染组分及污染机理等。

第一节　试验概况

一、试验目的

模拟长期排污河的特征污染组分 COD、NH_4—N、NO_3—N、总氮(TN)、总磷(TP)、Cr^{6+}、Pb^{2+}、苯系物和氯代烃在河流入渗补给地下水时其迁移转化的时空变化特征,研究浅层地下水对这些污染组分的敏感性与渗透介质厚度和岩性的关系,探讨各种污染组分的去除机理。

二、试验设计

(一)试验配水

试验配水主要模拟排污河水质。考虑到排污河水主要由生活污水和工业废水组成,除常规污染组分外,一般重金属和有机污染物比较常见,所以试验配水选择了两种有代表性的重金属:不易迁移的铅和容易迁移的铬,有机物选择了苯系物和四氯乙烯。具体的配水方案如下:取中国地质大学(北京)生活污水预沉淀1天后,加入硝酸铅、重铬酸钾、汽油和四氯乙烯,搅拌均匀,静置1天后使用。为了使试验效果更加显著,试验配水中铅和铬的浓度均采用10mg/L,汽油和四氯乙烯均各自用量筒量取150 mL加入75 L污水中。其中四氯乙烯7天后停止加入,这主要是考虑这么大剂量的四氯乙烯污染会对地下水有何影响。

作者曾在试验正式开始之前就试验配水做过几个小试验,目的是了解加入的重金属和有机物之间,以及它们跟生活污水中的污染组分之间会发生什么样的反应。

1.重金属＋生活污水＋有机物

试验配制了7种不同的水样(见表2-1),它们分别是样1:Pb^{2+}标液(10 mg/L);样2:生活污水;样3:Pb^{2+}标液(10 mg/L)＋污水;样4:Pb^{2+}标液(10 mg/L)＋污水＋Cr^{6+}(10 mg/L);样5:Pb^{2+}(10 mg/L)＋污水＋有机物(5 mg/L);样6:Pb^{2+}(10 mg/L)＋污水＋有机物(5 mg/L)＋Cr^{6+}(10 mg/L);样7:Pb^{2+}(10 mg/L)＋污水＋有机物(5 mg/L)＋Cr^{6+}(10 mg/L)。

表2-1　配水试验反应结果　　　(单位:mg/L)

样品号	Pb^{2+}	Cr^{6+}	TP	NH_4-N	NO_3-N	COD
样1	14.04					
样2		0.05	7.94	74.70	23.44	40.71
样3	14.13	0.08	6.63	81.22	75.86	48.72
样4	1.73	6.96	7.80	83.50	54.95	36.68
样5	14.17	0.10	6.86	79.88	85.11	228.42
样6	1.84	7.62	6.91	78.40	61.66	213.97
样7	1.84	7.25	6.83	66.27	61.66	251.15

通过表2-1中样2和样3的对比可看出,Pb^{2+}基本稳定,不与污水发生反应;通过样3和样4的对比可看出,Pb^{2+}与Cr^{6+}发生

反应生成铬酸铅沉淀,故 Pb^{2+} 和 Cr^{6+} 的浓度均降低很多;样5和样3比较,Pb^{2+} 的浓度基本没有变化,说明 Pb^{2+} 与有机物不发生反应,有机物的加入使得 COD 浓度大大提高;样6和样7是两个平行样,它们与样5比较的结果同样显示了 Pb^{2+} 与 Cr^{6+} 之间的反应。

2.500 mL 重铬酸钾溶液(5 mg/L)+1 mL 汽油

重铬酸钾与汽油的反应结果如表2-2所示。

表2-2　重铬酸钾与汽油的反应结果　　　（单位:μg/L）

反应时间	苯	甲苯	乙苯	间对二甲苯	邻二甲苯	异丙苯	Cr^{6+} (mg/L)
初始状态	400.2	686.5	85.71	264	191.3	18.2	4.94
放置1天							4.93
放置5天	393.4	672.5	83.77	257.8	195.4	18.8	4.78

从表2-2可以看出,Cr^{6+} 的浓度在放置5天后减小了0.16 mg/L,说明重铬酸钾与汽油会发生一定的氧化还原反应,只是由于反应时间短,效果不是十分明显。

3.500 mL 重铬酸钾溶液(5 mg/L)+40 μL 四氯乙烯

重铬酸钾与四氯乙烯反应 Cr^{6+} 浓度变化如表2-3所示。

表2-3　重铬酸钾与四氯乙烯反应 Cr^{6+} 浓度变化　（单位:mg/L）

反应时间	初始状态	放置1天	放置5天	放置48天
$K_2Cr_2O_7$ + 甲醇	4.94	4.80	4.41	2.61
$K_2Cr_2O_7$ + 甲醇 + C_2Cl_4	4.94	4.78	4.43	2.93

由于四氯乙烯难溶于水,所以先将其溶于 10 mL 甲醇中,再和重铬酸钾溶液混合反应。从表2-3可以看出,重铬酸钾与甲醇发生了氧化还原反应,在放置48天之后 Cr^{6+} 的浓度降低了2.33 mg/L,而在重铬酸钾+甲醇+四氯乙烯的反应中,Cr^{6+} 浓度的变化基本等同重铬酸钾与甲醇的反应,这说明重铬酸钾和四氯

乙烯不发生反应。

(二)试验装置

整个试验装置由土柱、配水系统和监测系统三部分组成(见图2-1)。

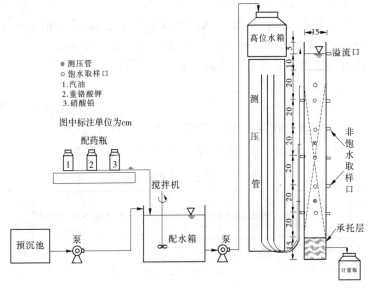

图2-1 试验装置

土柱:为土柱试验的主体部分。由内径为0.15 m的3根有机玻璃柱组成,柱高1.5 m。柱体下部为0.15 m的承托层,由粗的石英砂组成;中部为1.2 m的土柱试验段;试验段以上为0.10 m的试验用水,由溢流口控制为定水头。考虑接近野外土体实际情况,土柱侧壁用箔纸遮盖,以起到避光作用。

配水系统:由配水箱、水泵和高位供水箱组成。配水箱容积为75 L,可保证土柱试验3~7天的用水量。将试验配水由水泵送到高位供水箱,同时向三个土柱供水,采用定水头连续供水。

监测系统:定水头供水由溢流口控制,多余的进水送到配水箱中循环使用。在进水口取样,监测各特征组分的进水浓度。在土柱实体部分 0.2 m、0.4 m、0.6 m、0.8 m、1.0 m 及 1.2 m 深度处分别设有饱水取样口,在试验运行初期可以定期监测不同深度处各特征污染组分的浓度变化情况。另外,在土体 0.1 m、0.5 m 和 0.9 m 深度处分别设有测压管,用以监测污水下渗的水动力学特征。当土柱逐渐被污染物堵塞,变成非饱水状态时,关闭饱水取样口,在土体 0.2 m、0.4 m、0.6 m、0.8 m 和 1.0 m 处和饱水取样口垂直的位置设有非饱水取样口(陶土头),外接真空泵抽气取样。

(三)有关参数的测定

试验所选用的三种砂土均为天然砂土,取自北京丰台的不同地段。三种砂土分别为:柱 1 为粗砂,柱 2 和柱 3 为中砂。

(1)砂土筛分及颗粒级配的确定(见表 2-4 和图 2-2)。

表 2-4　砂土粒度分析结果　　　　　(W_B/%)

粒径 (mm)	>2	2~0.9	0.9~0.45	0.45~0.2	0.2~0.1	0.1~0.075	<0.075	砂土 名称*
柱 1	0.48	19.7	65.9	8.31	1.89	2.05	1.56	粗砂
柱 2	0.2	1.16	8.29	36.56	26.31	13.50	13.71	中砂
柱 3	0.02	0.07	23.95	60.37	7.82	3.83	3.80	中砂

注:*采用中华人民共和国地质矿产部土工试验规程(DT—92)。

(2)试验砂土参数测定(见表 2-5)。

三、试验的运行管理

污水灌入土柱试验历时近 10 个月(2001 年 11 月 18 日~2002 年 9 月 2 日)。需要说明的是,三个土柱并非同时开始加污水的。由于考虑到刚开始柱 1 粗砂渗流速度很快,如若三柱同时加污水,则试验测试任务过于繁重,很难圆满完成,于是在给柱 1

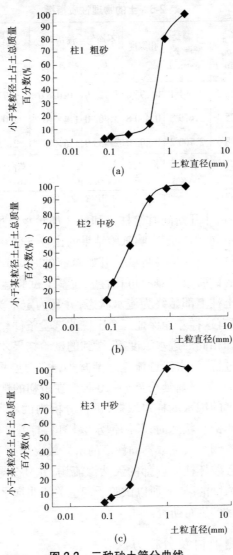

图 2-2 三种砂土筛分曲线

表 2-5　土的物理性质指标

土柱名称	土体密度 ρ_b (g/cm³)	土颗粒密度 ρ_s (g/cm³)	孔隙度 n	不均匀系数 C_u	渗透系数 K (cm/s)	阳离子交换容量 CEC (meq/100g)	有机质含量 W_B (%)
柱 1	1.628 2	2.691 1	0.395 0	1.728 0	0.023 0	1.775 5	0.249 0
柱 2	1.525 4	2.679 8	0.430 8	3.462 0	1.4×10^{-4}	2.036 0	0.095 3
柱 3	1.598 6	2.700 2	0.408 0	2.483 0	1.6×10^{-4}	2.651 7	0.155 3
测定方法	烘干法	比重瓶法	$n = 1 - \dfrac{\rho_b}{\rho_s}$	$C_u = d_{60}/d_{10}$	$K = Q/(I \times A)$	草酸铵—氯化铵快速法	重铬酸钾法

注:CEC 和土的有机质含量的测试单位为中国农业大学。

加污水 9 天后,才开始同时给柱 2 和柱 3 加污水。虽然三柱的试验开始时间不同,但并不影响试验结果的比较,试验结果中的渗流时间是针对每个土柱从各自试验开始算起的时间,这样就使得相同渗流时间的试验数据具有可比性。在整个试验运行过程中,努力保持三个土柱上部始终为淹水状态,并且为定水头。这一点很重要,因为只有这样才能保证三个土柱的试验条件相同,即在相同的水头压力和相同的进水浓度下,得到的试验结果才具有可比性。随着试验的进行,污水渗透流速逐渐减小,相应地,取样时间间隔由开始的 3~4 天逐渐延长至 7~10 天。在最初的饱水阶段,每次均从不同深度的饱水取样口取样,进行分析测试。当管内水样很快地转变为非饱水状态时,关闭饱水取样口,打开非饱水取样口,利用真空泵从陶土头抽取不同深度的水样数次。由于考虑到真空泵抽取可能会破坏柱体内部的天然渗流场,并且会导致水样中挥发性有机物浓度的减小,所以试验后期也关闭非饱水取样口,仅取进水和出水水样进行研究。

四、监测项目及分析方法

测试项目主要有 pH 值、TP、TN、COD、NH_4—N、NO_3—N、

Cr^{6+}、Pb^{2+}、苯系物、氯代烃及常规离子。其分析方法分别为：

pH 值——玻璃电极法（PHS-3E 型数字式 pH 计）。

TP——钼酸铵分光光度法（HEWLETTPACKARD 8453 型紫外分光光度仪）。

TN——过硫酸钾氧化—紫外分光光度法（HEWLETTPACK-ARD 8453 型紫外分光光度仪）。

COD——重铬酸钾法和仪器快速测定法（CTL-12 型化学需氧量测定仪）。

NH_4—N——纳氏试剂分光光度法（HEWLETTPACKARD 8453 型紫外分光光度仪）。

NO_3—N——紫外分光光度法（HEWLETTPACKARD 8453 型紫外分光光度仪）。

Cr^{6+}——二苯碳酰二肼分光光度法（HEWLETTPACKARD 8453 型紫外分光光度仪）。

Pb^{2+}——双硫腙分光光度法。

苯系物和氯代烃——气相色谱法（HEWLETTPACKARD HP6890 型气相色谱仪）。

Na^+、K^+、Mg^{2+}、Ca^{2+}、F^-、Cl^- 和 SO_4^{2-}——离子色谱法（DI-ONEX DX-120 型离子色谱仪）。

第二节　试验结果

一、污水下渗水动力学特征分析

污水在土柱中渗流的水动力学参数的变化直接反映了污水中的污染物质在柱体中的迁移和转化，反过来污水下渗水动力学特征的改变又影响着此过程的进行。

表 2-6 和图 2-3 给出了三柱流量的变化情况，通过分析可以

表 2-6　三柱流量变化

柱 1		柱 2		柱 3	
渗流时间 (d)	流量范围 (mL/h)	渗流时间 (d)	流量范围 (mL/h)	渗流时间 (d)	流量范围 (mL/h)
1～42	313～566	1～10	74～127	1～7	72～120
43～56	201～381	11～33	18～67	8～33	32～66
57～82	38～133	34～73	4～7	34～82	11～18
83～141	1～8	74～82	4～24	83～95	18～88
142～146	0	83～95	24～33	96～130	7～13
147～153	3～13	96～105	5～33	131～162	24～28
154～161	0	106～174	15～62	163～189	18～25
162～165	8	175～187	23～43	190～192	38～56
166～168	0	188～192	58～79	193～202	17～22
169～170	12	193～202	27～33	203～212	27～37
171～180	0	203～212	31～70		
181～185	8～35				
186～189	0				
190～197	2～4				

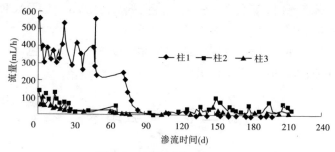

图 2-3　三柱流量历时曲线

看出:柱 1,70 多天以前流量远远大于柱 2 和柱 3,如第 57 天以前柱 1 流量均大于 200 mL/h,而柱 2 和柱 3 最大流量不超过 130 mL/h,57～82 天柱 1 流量为 38～133 mL/h,而柱 2 和柱 3 流量最大不超过 24 mL/h,之后柱 1 流量迅速下降,这正反映了柱 1 从饱水状态向非饱水状态的过渡和转变。在非饱水阶段,柱1流量基本上小于柱2和柱3,甚至出现了多次的断流现象,如93天、133天、142~146天、154~161天、166~168天、171~180天及186~189天。柱2和柱3流量变化比较平缓,试验初期,当两柱处于饱水状态时,流量是逐渐减小的,如柱2从开始的74~127 mL/h减小到34~73天的4~7 mL/h,柱3从开始的72~120 mL/h减小到34~82天的11~18 mL/h,变为非饱水后,基本上流量大小为:柱2>柱3>柱1,有时柱3>柱2。从数值上来看,与饱水末期相比,柱2和柱3的流量出现了明显的回升,如柱2流量在106~174天为15~62 mL/h, 188~192天为58~79 mL/h,第203~212天为31~70 mL/h,柱3流量在第131~162天为24~28 mL/h,190~192天为38~56 mL/h,203~212天为27~37 mL/h。

渗透流速的变化趋势与流量相同,从图2-4中可以更清楚地看到,试验中后期非饱水时,柱2和柱3的流速有所恢复和抬升。

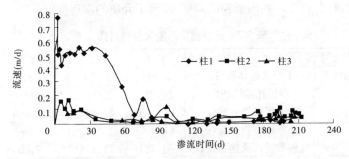

图2-4 三柱渗透流速历时曲线

流量和流速出现上述变化规律的原因有以下几个方面:首先和渗透介质有关,从砂土粒度分析可看出,柱1粗颗粒物质含量远大于柱2和柱3,三种砂土的不均匀系数(见表2-5):柱1为1.728,柱2为3.462,柱3为2.483,所以柱1的孔隙连通性最好,在试验运行初期,饱水阶段时柱1的渗透系数为

0.023 cm/s,远大于柱 2 (1.4×10^{-4} cm/s)和柱 3 (1.6×10^{-4} cm/s),相应地柱 1 的流量和流速也远远大于柱 2 和柱 3。其次和柱体内截留的污染物总量有关,将整个试验按照取样间隔分成若干时段,用每一时段的污染物(包括试验中所监测的所有无机和有机污染物)进、出水平均浓度分别乘以该时段的流量,然后将计算结果进行迭加,即得到输入和输出污染物总量。如表 2-7 所示,在相同的进水浓度情况下,柱 1 内截留的污染物总量比柱 2 和柱 3 大 1 倍多,污染物在柱体内的截留、吸附和沉淀等作用大大削弱了柱 1 的渗透性能,所以出现了在试验中后期非饱水时,柱 1 的流量急剧下降,小于柱 2 和柱 3,甚至出现了多次断流现象。最后和温度有关,试验运行前期为冬季,室温不超过 10 ℃,而试验中后期温度逐渐升高,特别是进入夏季后,室内温度达到 25~30 ℃,柱 2 和柱 3 的流量出现了回升,甚至还出现了高峰值,这主要是由于温度的升高,污水本身的粘滞性减小,有助于污水的流动,同时温度升高,柱体内的微生物活动增强,有利于一些污染物的降解,改善了介质的渗透性能。

表 2-7　三柱截留污染物总量对比

渗流时间	对比项目	柱 1	柱 2	柱 3
初始状态	1 个孔隙体积(L)	8.595	9.374	8.878
第 68 天	累积孔隙体积数	56.952	5.904	6.089
	输入污染物总量(g)	187.470	22.327	22.894
	输出污染物总量(g)	145.989	6.972	5.890
	柱内截留污染物总量(g)	41.481	15.355	17.004
第 184 天	累积孔隙体积数	63.22	13.269	11.717
	输入污染物总量(g)	203.287	36.309	34.142
	输出污染物总量(g)	152.911	10.951	9.343
	柱内截留污染物总量(g)	50.376	25.358	24.799

作者曾测定了三个土柱的孔隙度和给水度变化情况,试验开始前,分别测定三种砂土的土体密度 ρ_b 和土颗粒密度 ρ_s,按照 n

$=1-\rho_b/\rho_s$ 计算它们的孔隙度 n：柱 1 为 0.395，柱 2 为 0.431，柱 3 为 0.408；试验结束前，分别测定三柱一定厚度的渗透介质所释放的水量，再除以相应厚度的土柱体积，算出它们的给水度：柱 1 为 0.258，柱 2 为 0.159，柱 3 为 0.119。这些数值从另一个角度反应了随着渗流时间的延长，污染物质在介质中的截留、吸附和沉淀等作用使得渗透介质内部的部分空隙发生堵塞，污水下渗受阻，改变了污水渗流的水动力情况。

二、总磷迁移规律分析

由于试验配水中所含的化学组分之间存在着相互的化学反应，取样时间不同，污染物的进水浓度变化很大，而污染物的出水浓度随进水浓度、取样时间间隔和渗透速度的变化而变化，数据的波动性也很大。为了讨论问题方便，除了对污染物的浓度变化进行讨论外，还采用各时段去除率（η）的概念，以下简称为去除率，对三柱污染物的浓度变化进行比较和分析。计算方法如下：

$$A_i = \frac{C_{0_i} + C_{0_{i-1}}}{2} \Delta t_i Q_i \qquad (2\text{-}1)$$

$$B_i = \frac{C_i + C_{i-1}}{2} \Delta t_i Q_i \qquad (2\text{-}2)$$

$$\eta = (A_i - B_i)/A_i \times 100\% \qquad (2\text{-}3)$$

式中　C_{0_i}——进水中 i 时段末某种污染物的浓度，mg/L；

　　　$C_{0_{i-1}}$——进水中 i 时段初期某种污染物的浓度，mg/L；

　　　i——取样时段；

　　　Q_i——流量，L/d；

　　　Δt_i——取样时间间隔，d；

　　　C_i——出水中 i 时段末该种污染物的浓度，mg/L；

　　　C_{i-1}——出水中 i 时段初该种污染物的浓度，mg/L；

A_i——第 i 时段进入土柱的污染物总量,mg;

B_i——第 i 时段流出土柱的污染物总量,mg。

(一)总磷去除率随深度的变化趋势

总磷去除率随深度的变化趋势如图 2-5、图 2-6、图 2-7 和图 2-8所示。总磷的进水浓度为 $2.95\sim8.8$ mg/L。

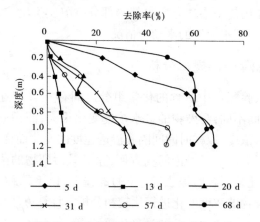

图2-5 柱1总磷去除率随深度变化曲线

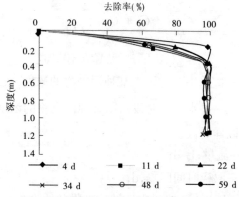

图2-6 柱2总磷去除率随深度变化曲线

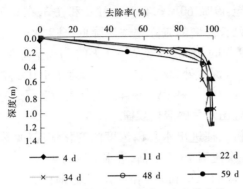

图2-7　柱3总磷去除率随深度变化曲线

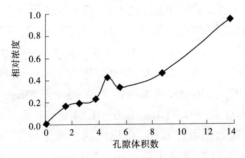

图2-8　柱1总磷穿透曲线

　　柱1、柱2和柱3,随着深度的增大,即总磷在砂柱中迁移距离的延长,其去除率逐渐升高,总磷的浓度不断降低。但三个土柱的总磷浓度及其去除率随渗滤时间的变化有所不同。柱1,试验运行开始5天,总磷随深度的增加去除率不断升高,浓度不断降低;第13天,总磷基本产生穿透,去除率几乎为零,这一点从柱1总磷的穿透曲线图(见图2-8)可以更清楚地看到,当累计孔隙体积数为13.728时,总磷的相对浓度为0.94,去除率接近于零,总磷基本产生穿透;随后,总磷的去除率逐渐回升,并且深度越大,去除率回升的幅度越大,直至第68天,0.2 m、0.6 m和1.0 m深度处去除率分别回升至 49%、60% 和 64%。柱 2 和柱 3,在 0.2 m 深度处,随着时间的延长总磷的去除率逐渐降低,柱 2 从第 4 天的 98% 下降 到 第 59 天的 68%,柱 3 从第 4 天的 91% 下降到第 59 天 的 51%;到 0.4 m 深度处,总磷的去除率接近于 100%,柱 2 为 96% ~100%,柱 3 为 93%~98%,并且深度越大,其去除率越高。

(二)三柱出水总磷变化规律

首先分析三柱进出水总磷浓度的变化情况(见表 2-8):试验早期,柱 1 在渗流第 76 天之前,进水浓度为 4.58~8.80 mg/L,出水浓度为 0.84~6.26 mg/L,在第 67 天之前柱 2 和柱 3 的进水浓度为 5.33~8.80 mg/L,出水浓度分别为 0.02~0.73 mg/L 和 0.03~0.22 mg/L;试验中期,柱 1 在 77~105 天,柱 2 和柱 3 在 68~106 天,在相同的进水浓度(4.21~5.37 mg/L)下,三柱出水浓度分别为 1.35~1.94 mg/L、0~0.37 mg/L 和 0~0.12 mg/L;试验后期,柱 1 在 106~225 天,进水浓度为 2.95~4.80 mg/L,柱 2 和柱 3 在 107~216 天,进水浓度为 2.95~4.43 mg/L,三柱出水浓度分别为 0.25~0.71 mg/L、0~0.14 mg/L 和 0~0.25 mg/L。从以上浓度数据可以看出,在相同的进水浓度下,柱 2 和柱 3 出水总磷的浓度自始至终比柱 1 小,并且早期差值较大(>1 mg/L),中期差值为 1 mg/L 左右,后期为 < 1 mg/L。

从图 2-9 和图 2-10 能够更直观地看出三柱出水总磷的浓度和去除率的变化情况。柱 1 出水处总磷去除率经历了从开始到第 13 天逐渐降低,以后又渐渐升高的过程,非饱水阶段去除率数值大多在 60%~80%,最大为第 172 天的 93.46%;而饱水时柱 2、柱 3 出水处总磷去除率均在 92% 以上,后期柱 2 大于 95%,柱 3 均大于 96%。可见,三种砂土均对总磷有去除效果,而两种中砂明显优于粗砂。

表 2-8　三柱进出水总磷浓度变化

土柱名称	渗流时间 （d）	进水浓度 （mg/L）	出水浓度 （mg/L）
柱1	1～12	4.58～5.36	0.84～2.23
	13	6.37	6.00
	14～76	5.33～8.80	2.55～6.26
	77～105	4.21～5.37	1.35～1.94
	106～225	2.95～4.80	0.25～0.71
柱2	1～67	5.33～8.80	0.02～0.73
	68～106	4.21～5.37	0～0.37
	107～216	2.95～4.43	0～0.14
柱3	1～67	5.33～8.80	0.03～0.22
	68～106	4.21～5.37	0～0.12
	107～216	2.95～4.43	0～0.25

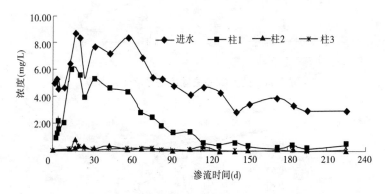

图 2-9　三柱进出水总磷浓度历时对比曲线

三、COD 迁移规律分析

（一）COD 去除率随深度的变化趋势

COD 去除率随深度的变化趋势见图 2-11、图 2-12 和图 2-13。

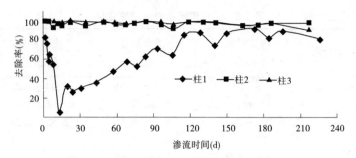

图 2-10　三柱出水总磷去除率历时对比曲线

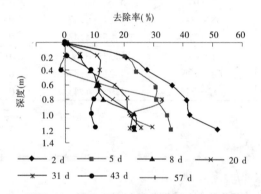

图 2-11　柱 1 COD 去除率随深度变化曲线

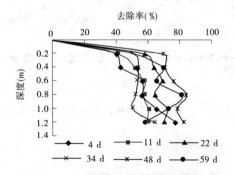

图 2-12　柱 2 COD 去除率随深度变化曲线

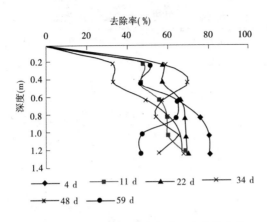

图 2-13　柱 3 COD 去除率随深度变化曲线

COD 的进水浓度为 113.23～378.32 mg/L。柱 1,第 31 天以前,去除率随深度增加而增加,第 43 天时 0.6 m 处去除率最高,第 57 天时 0.8 m 处去除率最高,去除率最大值为 51.94%,一般均小于 36%;柱 2,去除率范围为 40%～85%,随深度变化规律不太明显,一般 0.2 m、0.4 m 和 0.6 m 处去除率随深度增加而增加;柱 3,去除率范围为 32%～81%,随深度变化规律不太明显,第 22 天以前,基本上去除率随深度增加而增加,第 34 天时 1.0 m 处去除率最大,第 48 天时 0.4 m 处去除率最大,第 59 天时 0.6 m 处去除率最大。

(二)出水 COD 变化规律

首先分析三柱进出水 COD 浓度的变化情况(见表 2-9)。柱 1 在第 43 天之前,进水浓度为 227.9～378.3 mg/L,出水浓度 153.2～258.6 mg/L;柱 2 和柱 3 在第 34 天之前进水浓度为 275.3～378.3 mg/L,出水浓度分别为 84.0～140.1 mg/L 和 71.8～120.1 mg/L。柱 1 在 44～92 天,柱 2 和柱 3 在 35～83 天,在相同的进水浓度(159.4～284.5 mg/L)下,三柱出水的浓度分别为 60.8～187.3 mg/L、35.6～67.9 mg/L 和 32.8～86.6 mg/L。柱 1 在 93～225 天、柱 2 和柱 3 在 84～216 天,在进水浓度为 113.2～

表 2-9　三柱进出水 COD 浓度变化

土柱名称	渗流时间(d)	进水浓度(mg/L)	出水浓度(mg/L)
柱 1	1~43	227.9~378.3	153.2~258.6
	44~92	159.4~284.5	60.8~187.3
	93~225	113.2~186.4	54.7~123.8
柱 2	1~34	275.3~378.3	84.0~140.1
	35~83	159.4~284.5	35.6~67.9
	84~216	113.2~186.4	9.9~28.5
柱 3	1~34	275.3~378.3	71.8~120.1
	35~83	159.4~284.5	32.8~86.6
	84~216	113.2~186.4	17.4~44.3

186.4 mg/L 的前提下,其出水浓度分别为 54.7~123.8 mg/L、9.9~28.5 mg/L 和 17.4~44.3 mg/L。在相同的进水浓度下,在第 93 天以前,柱 1 出水的 COD 浓度是柱 2 和柱 3 出水浓度的 1~2 倍,而在第 93 天以后则是柱 2 和柱 3 出水浓度的 2~6 倍。

图 2-14 和图 2-15 反映了三柱出水 COD 的历时变化过程。柱 1,COD 的去除率从开始第 3 天的 50% 左右下降至第 68 天的 20%,第 4~68 天的去除率为 10%~36%,第 68 天以后的去除率为 28%~70%;柱 2,第 1~59 天的 COD 去除率为 58%~82%,第 59 天以后为 74%~94%;柱 3,第 1~59 天的去除率为 47%~81%,第 59 天以后为 61%~91%。三柱 COD 的去除率总体上都是非饱水大于饱水阶段,但在每一个阶段内随时间变化规律性不强,时高时低,柱 2、柱 3 大于柱 1,多数情况下柱 2 略大于柱 3。

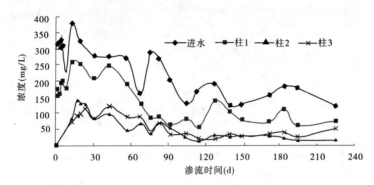

图 2-14 三柱进出水 COD 浓度对比历时曲线

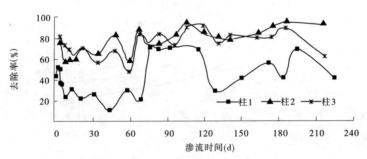

图 2-15 三柱出水 COD 去除率对比历时曲线

四、氮迁移规律分析

(一)铵氮变化规律

首先分析在饱水的试验早期三柱铵氮去除率随深度的变化情况。从图 2-16、图 2-17 和图 2-18 可以看出:柱 1,在第 17 天以前铵氮去除率随深度增加而增加,第 17 天以后随深度变化规律不明显,如第 4 天时 0.2 m 处去除率为 14.66%,0.6 m 处为 32.33%,1.0 m 处为 42.24%;第 13 天时 0.2 m 处为 1.66%,0.6 m 处为 8.30%,1.0 m 处为 17.84%;第 31 天时 0.8 m 处去除率最高为

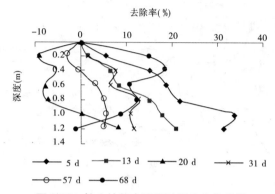

图 2-16　柱 1 铵氮去除率随深度变化曲线

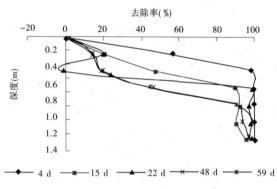

图 2-17　柱 2 铵氮去除率随深度变化曲线

12.77%,第 57 天时 1.0 m 处去除率最高为 5.61%,第 68 天时 0.4 m 处去除率最高为 18.69%。柱 2 和柱 3,铵氮去除率均随深度增加而增加,如柱 2 在第 4 天时 0.2 m 处去除率为 56.85%, 0.6 m 处为 99.69%,1.0 m 处为 100%;第 34 天时 0.2 m 处为 15.58%,0.6 m 处为 79.05%,1.0 m 处为 98.52%;第 59 天时 0.2 m 处为 14.36%,0.6 m 处为 44.95%,1.0 m 处为 99.43%。 柱 3 在第 4 天时 0.2 m 处去除率为 75.52%,0.6 m 处为 99.27%,1.2 m 处为 99.44%;第 34 天时 0.2 m 处为 15.16%,

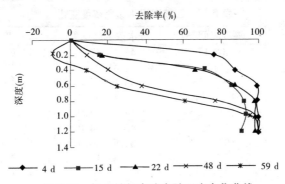

图 2-18　柱 3 铵氮去除率随深度变化曲线

0.6 m 处为 63.41%,1.0 m 处为 98.80%;第 59 天时 0.2 m 处为
−9.71%,0.6 m 处为 24.85%,1.0 m 处为 95.91%。每一深度处
铵氮去除率随时间的变化规律是:柱 1,第 17 天以前随渗流时间
的延长去除率减小,第 17 天以后规律不明显,柱 2 和柱 3 基本上
在 0.2 m、0.4 m 和 0.6 m 处的去除率随渗流时间的延长而减小,
柱 2 在 0.8 m 和 1.0 m 处的去除率均大于 90%,1.2 m 处大于
95%,柱 3 在 0.8 m 处除了第 48 天(76.85%)和第 59 天
(60.74%)外去除率大于 90%,1.0 m 处大于 92%,1.2 m 处大于
95%。而且柱 1 在第 17 天以后在 0.2 m 和 0.4 m 处多次出现负
去除,如 0.2 m 处去除率:第 17 天为 − 0.88%,第 20 天为
−9.78%,第 57 天为 − 3.22%;0.4 m 处去除率:第 20 天为
−5.33%,第 43 天为−1.13%,第 57 天为−0.43%;其他深度处:
0.6 m 处在第 20 天时为 −8.00%,0.8 m 处在第 20 天时为
−7.56%,1.2 m 处在第 68 天时为−1.35%。柱 2 和柱 3 仅出现
1~2 次负去除。
　　再来分析在整个试验期间三柱铵氮进出水浓度和去除率的变
化规律。由表 2-10 和图 2-19 来看三柱进出水浓度的变化 ,柱 1,
1~17 天 ,进水浓度为 42.4~49.5 mg/L ,出水浓度为 14.9~

表 2-10　三柱进出水铵氮浓度变化

土柱名称	渗流时间(d)	进水浓度(mg/L)	出水浓度(mg/L)
柱1	1~17	42.4~49.5	14.9~42.2
	17	45.2	42.2
	18~128	45.0~64.0	41.4~60.3
	129~140	38.1~56.9	28.5~56.5
	141~225	34.9~44.0	52.1~70.4
柱2	1~106	45.2~64.0	0~3.68
	107~141	34.9~56.9	12.9~37.3
	131	38.1	37.3
	142~216	38.7~44.0	41.1~48.9
柱3	1~96	45.2~64.0	0.2~6.7
	97~131	38.1~57.2	10.3~23.1
	132~216	34.9~44.0	35.7~56.6
	141	35.0	35.6

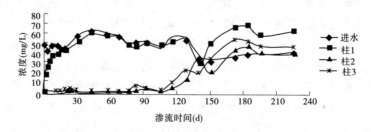

图 2-19　三柱进出水铵氮浓度历时对比曲线

42.2 mg/L,可以看出出水浓度小于进水浓度,并且出水浓度随时间逐渐增大;18~140 天,进水浓度为 38.1~64.0 mg/L,出水浓度为 28.5~60.3 mg/L,出水浓度仍然小于进水浓度;第 141~225 天,进水浓度为 34.9~44.0 mg/L,出水浓度为 52.1~70.4 mg/L,出水浓度大于进水浓度。柱 2,在 1~106 天,进水浓度为 45.2~64.0 mg/L,出水浓度仅为 0~3.68 mg/L,比进水降低了 94%以上;在 107~141 天,进水浓度为 34.9~56.9 mg/L,出水浓度为 12.9~37.3 mg/L,比进水降低了 34%~63%;在 142~216

天,进水浓度为 38.7～44.0 mg/L,出水浓度为 41.1～48.9 mg/L,比进水浓度有所升高,但升高幅度不大。柱 3,在 1～96 天,进水浓度为 45.2～64.0 mg/L,出水浓度仅为 0.2～6.7 mg/L,也比进水降低了 90% 以上;在 97～131 天,进水浓度为 38.1～57.2 mg/L,出水浓度为10.3～23.1 mg/L,比进水降低了 60%～73%;在132～216 天,进水浓度为 34.9～44.0 mg/L,出水浓度为35.7～56.6 mg/L,比进水浓度有所升高,但升高幅度也不大。

　　由土柱砂的孔隙度乘以砂的总体积计算出土柱的孔隙体积,由不同时刻的总渗透流量除以孔隙体积,可得到不同时刻对应的孔隙体积数;相对浓度为不同时刻污染物的出水浓度与进水浓度的比值。三柱进出水铵氮去除率的变化规律:柱 1,在第 17 天(孔隙体积数为 17.326,相对浓度为 0.93)时基本产生穿透(见图 2-20),以后铵氮浓度变化不大,去除率大多小于 10%,第 140 天(孔隙体积数为 62.663)以后为负去除,说明 NH_4^+ 发生了解吸(见图 2-19 和图 2-23)。柱 2 和柱 3 从试验开始时去除率一直很高,均在 90% 以上,柱 2 到第 131 天(孔隙体积数为 7.924,相对浓度为 0.98)、柱 3 到第 141 天(孔隙体积数为 8.744,相对浓度为 1.02)时铵氮达到吸附饱和产生穿透,随后铵氮发生解吸为负去除(见图 2-21、图 2-22 和图 2-23)。

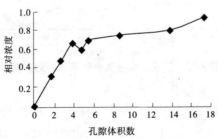

图 2-20　柱 1 铵氮穿透曲线

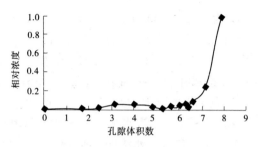

图 2-21　柱 2 铵氮穿透曲线

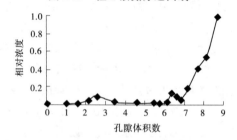

图 2-22　柱 3 铵氮穿透曲线

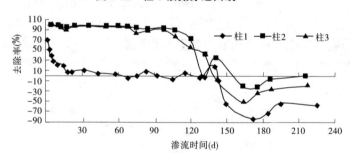

图 2-23　三柱出水铵氮去除率历时对比曲线

(二)NO_3—N 变化规律

在饱水的试验早期三柱 NO_3—N 去除率随深度的变化规律(见图 2-24、图 2-25 和图 2-26):柱 1 在第 30 天前,柱 2 在第 22 天和柱 3 在第 15 天前均为负去除,各深度处 NO_3—N 深度大于进水浓度。柱 1,第 17 天以前 NO_3—N 随深度去除率减小,浓度增加,

如第 8 天时 0.2 m 处去除率为 -6%,0.6 m 处为 -21%,1.0 m
处为 -42%;第 17 天时 0.4 m 处为 -4%,0.8 m 处为 -12%,
1.0 m 处为 -68%,第 17 天以后去除率随深度具有波动性,如第
31 天和第 68 天时在 0.6 m 处,第 43 天和第 57 天时在 0.4 m 处
去除率最小,NO_3—N 浓度最大。柱 2,分别在第 11 天、第 15 天和
第 48 天时在 0.6 m 处,第 8 天和第 59 天在 1.2 m 处,第 34 天在
1.0 m 处的去除率最小,NO_3—N 浓度最大,第 59 天时在 0.2 m、
0.4 m 和 1.0 m 处去除率为 100%,0.6 m 处为 99%。柱 3,分别
在第 4 天、第 8 天和第 11 天时在 0.4 m 处,第 15 天和第 22 天在
0.2 m 处去除率最小,NO_3—N 浓度最大,第 59 天时在 0.8 m 处
去除率最大为 98%,柱 2 和柱 3 的 NO_3—N 去除率随深度变化规
律性均较差。

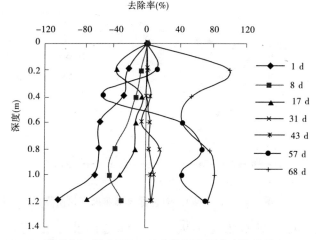

图 2-24　柱 1 NO_3—N 去除率随深度变化曲线

三柱进出水 NO_3—N 的浓度和去除率随时间的变化规律:从
表 2-11 和图 2-27 可以看出,柱 1,1～20 天进水浓度为 7.5～
27.5 mg/L,出水浓度为 11.0～55.2 mg/L,出水浓度大于进水浓

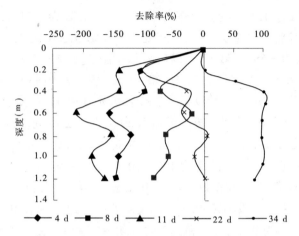

图 2-25　柱 2 NO$_3$—N 去除率随深度变化曲线

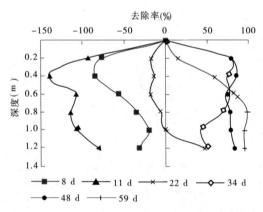

图 2-26　柱 3 NO$_3$—N 去除率随深度变化曲线

度;21~43天进水浓度为9.7~25.0 mg/L,出水浓度为8.8~
23.0 mg/L,出水浓度略小于进水浓度;44~225天进水浓度为
2.9~28.7 mg/L,出水浓度为0.7~4.2 mg/L,出水浓度比进水
浓度小76%~85%。柱2和柱3,在1~11天进水浓度为7.5~
12.5 mg/L,它们的出水浓度分别为20.0~23.0 mg/L 和4.0~

16.5 mg/L,基本上出水浓度大于进水浓度,并且柱 2 比柱 3 的出水浓度大;12～48 天进水浓度为 9.7～25.0 mg/L,它们的出水浓度分别为 3.4～25.0 mg/L 和 2.3～13.5 mg/L,柱 2 的出水浓度比进水浓度小 65% 以下,柱 3 的出水浓度比进水浓度小 46%～75%,柱 2 的出水浓度大于柱 3;49～216 天进水浓度为 2.9～28.7 mg/L,它们的出水浓度分别为 0.01～1.24 mg/L 和 0.1～2.2 mg/L,柱 2 的出水浓度大多小于柱 3,柱 2 和柱 3 的出水浓度比进水浓度小的比例不等。从图 2-28 中更清楚地看出,柱 1 在第 31 天、柱 2 在第 22 天和柱 3 在第 15 天以前,三柱出水的 NO_3—N 去除率为负值,以后去除率逐渐升高,柱 1 去除率大多在 70% 以上,柱 2 和柱 3 多在 75% 以上。

表 2-11 三柱进出水 NO_3—N 浓度变化

土柱名称	渗流时间(d)	进水浓度(mg/L)	出水浓度(mg/L)
柱 1	1～20	7.5～27.5	11.0～55.2
	21～43	9.7～25.0	8.8～23.0
	44～225	2.9～28.7	0.7～4.2
柱 2	1～11	7.5～12.5	20.0～23.0
	12～48	9.7～25.0	3.4～25.0
	49～216	2.9～28.7	0.01～1.24
柱 3	1～11	7.5～12.5	4.0～16.5
	12～48	9.7～25.0	2.3～13.5
	49～216	2.9～28.7	0.1～2.2

(三)总氮变化规律

总氮去除率随深度的变化规律(见图 2-29、图 2-30 和图 2-31):柱 1,除第 68 天在 0.8 m 处总氮去除率最高(39.38%)外,其余总氮去除率基本上随深度增加而增加,从试验开始到第 5 天时,总氮去除率达到最高:0.2 m 处为 38%,0.6 m 处为 49%,1.0 m 处为 60%;随后去除率逐渐减少,直至第 20 天时达到最小:

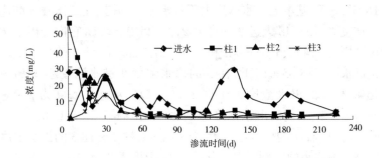

图 2-27　三柱进出水 NO_3—N 浓度历时对比曲线

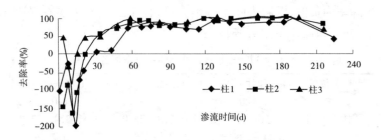

图 2-28　三柱出水 NO_3—N 去除率历时对比曲线

0.2 m 处为 -3%,0.4 m 处为 -12%,0.6 m 处为 -5%,1.0 m 处为 4%;然后总氮去除率又开始回升,到第 68 天时为:0.2 m 处为 38%,0.6 m 处为 25%,1.0 m 处为 21%,在 6~57 天不同深度的总氮去除率变化范围为 -20%~20%。除了柱 2 在第 11 天时在 0.6 m 处去除率最高外,柱 2 和柱 3 总氮去除率均明显地随深度增加而增加,不同深度的去除率数值有时柱 2 大,有时柱 3 大,去除率总的变化范围:柱 2 为 3%~99%,柱 3 为 9%~98%。

　　出水总氮浓度和去除率的变化规律(见表 2-12、图 2-32 和图 2-33):柱 1,1~20 天进水浓度为 60.7~90.6 mg/L,出水浓度为 44.2~58.5 mg/L,去除率为 12%~56%;21~57 天进水浓度为

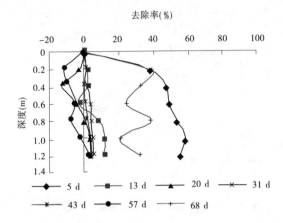

图 2-29 柱 1 总氮去除率随深度变化曲线

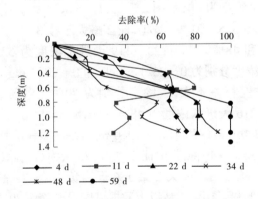

图 2-30 柱 2 总氮去除率随深度变化曲线

60.7~83.6 mg/L,出水浓度为 58.2~78.3 mg/L,去除率为 3.9%~6.3%,出水浓度和进水浓度非常接近;58~140 天进水浓度为 37.5~88.2 mg/L,出水浓度为 30.4~73.9 mg/L,去除率为 -15%~42%;141~225 天进水浓度为 48.4~58.3 mg/L,出水浓度为 53.7~72.0 mg/L,出水浓度大于进水浓度,出现负去除,如第 150 天去除率为 -12.6%,第 172 天为 -30.4%,第 184 天为

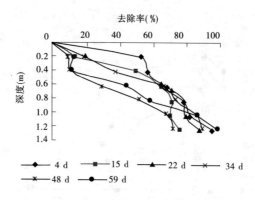

图 2-31　柱 3 总氮去除率随深度变化曲线

-22%,第 195 天为 -14.9%,第 225 天为 -32.4%;柱 2 和柱 3,
$1\sim22$ 天进水浓度为 $60.7\sim83.6$ mg/L,出水浓度分别为 $15.4\sim$
39.9 mg/L 和 $3.5\sim31.9$ mg/L,柱 2 略大于柱 3,去除率分别为
$34\%\sim81\%$ 和 $48\%\sim96\%$;$23\sim119$ 天进水浓度为 $52.5\sim88.2$
mg/L,出水浓度分别为 $0\sim25.1$ mg/L 和 $0\sim20.2$ mg/L,柱 2 与
柱 3 出水浓度相差不大,去除率分别为 $70\%\sim99\%$ 和 $71\%\sim$
99%;$120\sim216$ 天进水浓度为 $48.4\sim69.5$ mg/L,出水浓度分别
为 $25.7\sim72.0$ mg/L 和 $41.8\sim72.0$ mg/L,去除率分别为 -32%
$\sim56\%$ 和 $-32\%\sim40\%$,其中柱 2 在第 175 天为负去除(-32%),
柱 3 在第 163 天、第 175 天和第 186 天为负去除,去除率分别为
-3%、-32% 和 -16%。从以上数据可以看出:第 120 天以前,柱
2 和柱 3 出水浓度大多在 25 mg/L 以下,而柱 1 出水浓度范围为
$40\sim80$ mg/L,柱 1 出水浓度是柱 2 和柱 3 的 $1\sim10$ 倍,第 120 天
以后柱 2 和柱 3 的出水浓度回升,和柱 1 的出水浓度差值减小。
三柱总氮去除率总的变化规律在图 2-33 中反映得非常清楚,第
120 天以前,柱 2 和柱 3 远远大于柱 1,第 120 天以后,柱 2 和柱 3
逐渐减小,和柱 1 比较接近,并且出现多次负去除。

表 2-12　三柱进出水总氮浓度变化

土柱名称	渗流时间(d)	进水浓度(mg/L)	出水浓度(mg/L)
柱 1	1～20	60.7～90.6	44.2～58.5
	21～57	60.7～83.6	58.2～78.3
	58～140	37.5～88.2	30.4～73.9
	141～225	48.4～58.3	53.7～72.0
柱 2	1～22	60.7～83.6	15.4～39.9
	23～119	52.5～88.2	0～25.1
	120～216	48.4～69.5	25.7～72.0
柱 3	1～22	60.7～83.6	3.5～31.9
	23～119	52.5～88.2	0～20.2
	120～216	48.4～69.5	41.8～72.0

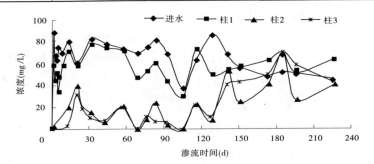

图 2-32　三柱进出水总氮浓度对比历时曲线

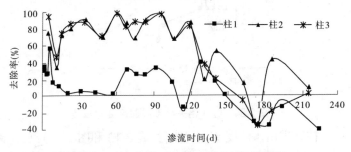

图 2-33　三柱出水总氮去除率对比历时曲线

五、Cr(Ⅵ)迁移规律分析

铬的进水浓度为 0.41～9.10 mg/L。三柱铬的去除率均随深度增加而呈增大趋势(见图 2-34、图 2-35 和图 2-36)。在相同的进水浓度下,柱 1 在第 13 天、柱 2 和柱 3 在第 4 天时,它们在 0.2 m 处的去除率分别为 1.26%、15.43% 和 17.77%,0.6 m 处为 4.57%、19.38% 和 37.99%,1.0 m 处为 6.30%、15.35% 和 99.68%;柱 1 在第 31 天、柱 2 和柱 3 在第 22 天时,它们在 0.2 m 处的去除率分别为 2.75%、30.73% 和 25.54%,0.6 m 处为 10.40%、36.24% 和 40.37%,1.0 m 处为 12.39%、42.81% 和 50.46%;柱 1 在第 68 天、柱 2 和柱 3 在第 59 天时,它们在 0.2 m 处的去除率分别为 49.20%、39.75% 和 37.97%,0.6 m 处为 50.62%、59.89% 和 52.76%,1.0 m 处为 56.86%、81.64% 和 99.0%。在不同的深度处,柱 2 和柱 3 的去除率大于柱 1,并且大多是柱 3 大于柱 2。

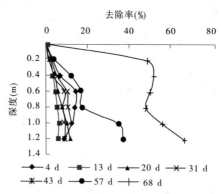

图 2-34　柱 1 铬去除率随深度变化曲线

三柱铬进出水浓度变化规律(见表 2-13 和图 2-37):三柱铬出水浓度均小于其相应的进水浓度,柱 1,1～13 天进水浓度为 4.9

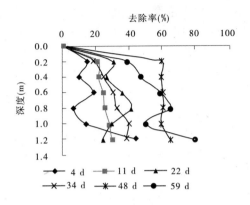

图 2-35　柱 2 铬去除率随深度变化曲线

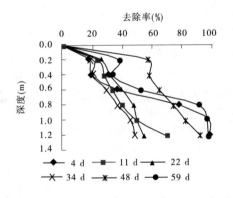

图 2-36　柱 3 铬去除率随深度变化曲线

～6.7 mg/L,出水浓度为 4.2～6.1 mg/L,第 13 天时进水浓度为 6.3 mg/L,出水浓度为 6.0 mg/L,孔隙体积数为 13.728,相对浓度为 0.94,铬基本产生穿透(见图 2-38);14～76 天进水浓度为 5.61～9.10 mg/L,出水浓度为 1.69～8.03 mg/L,在进水浓度变化比较平缓的条件下,出水浓度急剧下降,如第 20 天时进水浓度为 9.10 mg/L,出水浓度为 8.03 mg/L,第 76 天时进水浓度为 8.17 mg/L,出水浓度仅为 1.69 mg/L;77～225 天进水浓度为

0.41～5.84 mg/L,出水浓度为 0.03～0.17 mg/L,该阶段进水浓度有所下降,出水浓度均非常小。柱 2 和柱 3,1～67 天进水浓度为 5.61～9.10 mg/L,出水浓度分别为 0.21～6.32 mg/L 和 0.01～3.33 mg/L;68～216 天进水浓度为 1.23～7.27 mg/L,出水浓度分别为 0.01～0.13 mg/L 和 0～0.07 mg/L,在相同的进水浓度情况下,铬出水浓度柱 3＜柱 2＜柱 1。

　　三柱出水铬去除率变化规律(见图 2-39):柱 1,第 1～13 天去除率逐渐减小,从 15.54% 减至 5.83%,铬产生穿透,第 43 天以前铬的去除率大多小于 10%,第 43 天以后去除率逐渐升高,直至第 83 天时去除率升高到 98%,以后除了在第 115 天(81.7%)、第 128 天(87.8%)和第 140 天(86.2%)去除率小于 90% 外,其余均大于 96%;柱 2,第 1～15 天去除率从 45% 下降到 22%,第 15 天之后去除率升高,直至第 67 天升至 97%,以后去除率均大于 95%;柱 3,第 1～34 天去除率从 99% 减小到 49%,之后逐渐升高,至第 59 天升高到 99%,以后均大于 97%。可见,不管是试验前期的饱水状态,还是中后期的非饱水状态,三柱去除率之间的关系非常明显,即柱 3＞柱 2＞柱 1。

表 2-13　三柱进出水铬浓度变化

土柱名称	渗流时间(d)	进水浓度(mg/L)	出水浓度(mg/L)
柱 1	1～13	4.90～6.70	4.20～6.10
	13	6.30	6.00
	14～76	5.61～9.10	1.69～8.03
	77～225	0.41～5.84	0.03～0.17
柱 2	1～67	5.61～9.10	0.21～6.32
	68～216	1.23～7.27	0.01～0.13
柱 3	1～67	5.61～9.10	0.01～3.33
	68～216	1.23～7.27	0～0.07

六、Pb^{2+} 迁移规律分析

　　三柱 Pb^{2+} 的去除率随深度增加而增大,如柱 1 在第 13 天时,

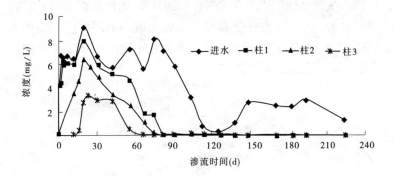

图 2-37 三柱进出水铬浓度历时对比曲线

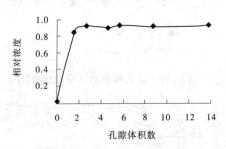

图 2-38 柱 1 铬穿透曲线

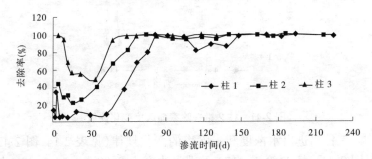

图 2-39 三柱出水铬去除率历时对比曲线

0.4 m 处去除率为 21.9%,0.8 m 处为 44.1%,1.2 m 处为

72.5%,在第 43 天时,0.4 m 处为 20.1%,0.8 m 处为 43.5%,
1.2 m 处为 50.4%,而柱 2 和柱 3 在饱水时期不同深度处铅的去
除率均大于 99%,说明铅基本上被截留在中砂上部 0.2 m 范围内
(见图 2-40、图 2-41 和图 2-42)。

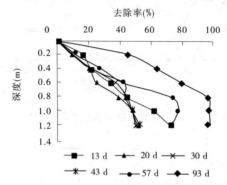

图 2-40　柱 1 铅去除率随深度变化曲线

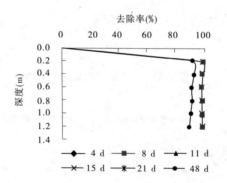

图 2-41　柱 2 铅去除率随深度变化曲线

　　三柱铅进出水浓度和去除率的变化规律(见表 2-14、图 2-43
和图 2-44):柱 1,第 1~172 天进水浓度为 0.38~8.58 mg/L,出
水浓度为 0.04~4.64 mg/L,从第 1 天到第 5 天柱 1 铅的去除率
从 47.5% 增至 98%,第 5 天以后逐渐降低至第 24 天的 45.9%,以

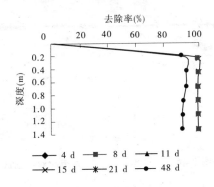

图 2-42 柱 3 铅去除率随深度变化曲线

后上升至第 172 天的 98%。柱 2 和柱 3,第 1~163 天进水浓度为 0.93~8.58 mg/L,出水浓度分别为 0~0.04 mg/L 和 0~0.02 mg/L,出水铅的去除率柱 2 均大于 98%,柱 3 均大于 99%。

表 2-14 三柱进出水铅浓度变化

土柱名称	渗流时间(d)	进水浓度(mg/L)	出水浓度(mg/L)
柱 1	1~172	0.38~8.58	0.04~4.64
柱 2	1~163	0.93~8.58	0~0.04
柱 3	1~163	0.93~8.58	0~0.02

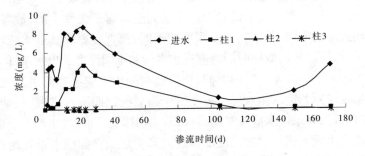

图 2-43 三柱进出水铅浓度历时对比曲线

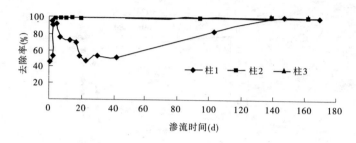

图 2-44　三柱出水铅去除率历时对比曲线

七、苯系物渗透规律分析

本实验主要目的是模拟苯系物在长期排污河这样开放的环境条件下,除去自然挥发掉的,看其能否通过渗透介质到达地下水,从而对地下水构成有机污染威胁。饱水条件下在相同的深度,从去除率数值上来看,3 个土柱对苯系物的去除效果为:柱 2>柱 3>柱 1。苯系物随深度有这样的变化规律:当进水苯系物浓度高时,则其浓度随深度降低(见图 2-45),特别是从土层 0.2 m 处往下苯系物浓度急剧下降,这说明污水中的苯系物在经过土柱时,其中很大一部分在土层上部 0.2 m 范围内被得以去除净化。试验中还有一部分数据显示,当进水苯系物浓度低时,其浓度反而随深度升高。这主要是由于试验中进水是完全暴露于大气中的,放置时间长短的不同,苯系物挥发程度的不同,都直接影响其进水浓度。也就是说,每次取样时同时取进水水样和不同深度的出水水样,由于污水下渗需要一定的时间,所以此时的出水应该和此时刻之前某一时刻的进水相对应。由于这个滞后的时间不好掌握,只能同时取样,如果进水放置时间很长,苯系物挥发严重,进水浓度很低,就会出现上述所说的浓度随深度升高的现象。非饱水条件时,在同样的进水浓度下,柱 2 对苯系物的去除效果最好,4 次有 3 次未检出,其次为柱 3,柱 1 最差(见表 2-15)。

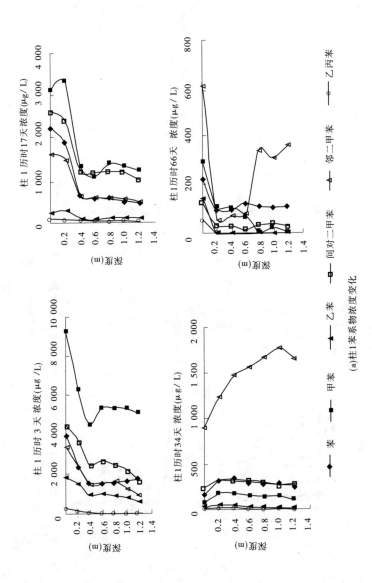

(a)柱1苯系物浓度变化

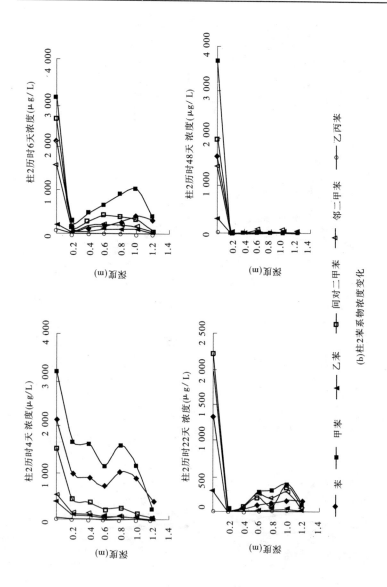

(b)柱2苯系物浓度变化

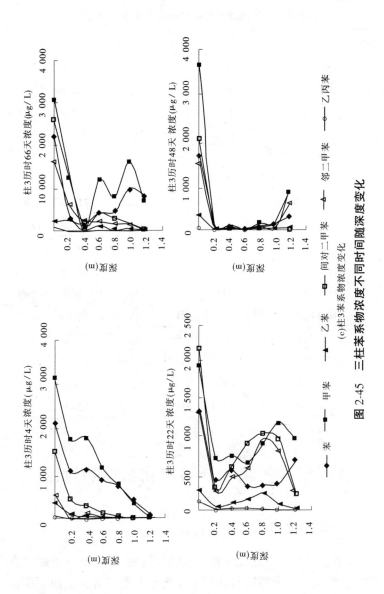

(c)柱3苯系物浓度不同时间随深度变化

图 2-45　三柱苯系物浓度不同时间随深度变化

表 2-15　非饱和水阶段苯系物进出水浓度对比（单位：μg/L）

渗流时间	样名	苯	甲苯	乙苯	间对二甲苯	邻二甲苯	异丙苯
第 105 天	进水	51.22	ND	ND	ND	448.50	ND
	柱 1 出水	997.90	2956.00	281.00	2896.00	3192.00	104.40
	柱 2 出水	ND	ND	ND	ND	ND	ND
	柱 3 出水	76.70	182.10	ND	321.40	283.60	ND
第 131 天	进水	149.65	ND	9.20	13.45	ND	ND
	柱 1 出水	80.00	219.80	47.95	188.10	178.40	28.60
	柱 2 出水	18.95	15.75	8.60	36.70	21.00	ND
	柱 3 出水	25.05	40.08	23.58	60.25	35.48	17.30
第 142 天	进水	25.79	13.63	ND	ND	39.36	ND
	柱 1 出水	39.66	113.20	18.19	86.01	92.29	10.11
	柱 2 出水	7.32	ND	ND	ND	ND	ND
	柱 3 出水	10.50	ND	ND	ND	19.87	8.25
第 175 天	进水	514.30	192.60	79.70	66.02	682.00	28.00
	柱 1 出水	76.92	80.59		83.86	93.93	24.00
	柱 2 出水	ND	ND	ND	ND	ND	ND
	柱 3 出水	21.06	14.06	ND	ND	ND	ND

注：ND 表示未检出。

第三节　污染物迁移转化机理的讨论

一、磷迁移转化机理的讨论

城市污水中的磷主要来源于人体排泄物、排入下水道的废弃食物、多种家用洗涤剂以及某些工业废水。前三者又组成了生活污水的磷。污水中的磷主要以有机磷和无机磷两种形式存在,其中以无机磷形式存在的磷可占总磷的 85% ~ 95%[6,7](Canter,Knox,1985;Brandes,1980)。有机磷主要存在于有机物和原生质细胞中,无机磷则存在于一些合成洗涤剂、磷工业废水中。无机磷的形态主要有正磷酸盐、聚磷酸盐。磷可在有机磷、无机磷、可溶性磷、不溶性磷之间相互转化,但价态不会发生变化,而正磷酸盐是磷循环的最终产物。正磷酸盐在水体中电离同时生成 H_3PO_4、$H_2PO_4^-$、HPO_4^{2-} 和 PO_4^{3-},各个含磷基团的浓度分布随 pH 值而异,在 pH 值为 6~9 的典型生活污水中,主要存在形式为 HPO_4^{2-} 和 $H_2PO_4^-$。磷对于自然界的危害主要是造成水体富营养化。

关于磷的去除机理,大多数的学者持同一种看法,即植物吸收、渗透介质的吸附、化学沉淀、络合反应、微生物的利用[8~12](Richardson,1985;R.B. Reneau Jr,1989;Richardson,Davis,1987;Faulkner,Richardson,1989;Mann,1990),其中渗透介质对磷的吸附被认为是最有效的去除机制[12~14](Steiner,Freeman,1989;Mann,1990;Wood,1990)。植物吸收主要利用磷是植物生长必须的营养元素这一机理来进行除磷的,但是这一方法除磷量毕竟有限。有的学者认为 PO_4—P 与渗透介质颗粒表面氧化膜和氢氧化膜中的铁、铝、钙、镁等相结合产生沉淀,对磷的去除也有很大作用[15~17](Laak,1986;M.B.Green 等,1994;K.R.Reddy 等,1997)。如在偏碱性的条件下,磷和钙产生反应,形成羟磷灰石($Ca_5(PO_4)_3OH$)。微生物去除磷主要是指聚磷菌(Acinetobacter)这一特殊菌种,在好氧条件下摄取磷、在厌氧条件下释放磷,从而达到去除污水中磷的目的。近年来又发现一种"兼性厌氧反硝化除磷细菌(DPB - Denitrifying Phosphorus Removing Bacteria)"能够在缺氧环境(无 O_2、有 NO_3^-)下吸收磷[18~20]。DPB 以 NO_3^- 代替 O_2 作为电子受体,使得脱氮、除磷可以借助同一菌种、同一环境一并完成。

（一）吸附和沉淀对磷迁移转化的影响

影响磷吸附的主要因素有：介质中所含吸附剂的种类和数量，介质的颗粒大小等。本次试验所用砂均取自北京丰台松散沉积地层中的天然砂，对三种砂进行了 X 射线衍射半定量物相分析（测试单位：中国地质大学（北京）地质试验中心 X 光试验室；分析仪器：D/Max－RC 日本理学 Rigaku 制造），结果见表 2-16。就粘土矿物的总量来说，柱 2 含量最高；就高岭石的含量而言，柱 3 最大，其次为柱 2，柱 1 最小。PO_4^{2-} 易于被高岭土、硅质胶体所吸附，所以柱 2 和柱 3 磷的去除效果要好于柱 1。吸附是一种表面反应，介质的颗粒越小，比表面积越大，则其吸附能力越强。通过砂土的颗粒粒度分析（见表 2-4），粒径＜0.075 mm 的粘粒含量：柱 1 为 1.56%；柱 2 为 13.71%；柱 3 为 3.80%。可见柱 2 所含粘粒物质最多，从前面去除率的分析数据来看，对磷的去除效果为：柱 2＞柱 3＞柱 1。由中国地质大学（北京）化学分析室对三种砂的氧化物含量进行了测定，其中铁、铝、钙、镁、锰氧化物的含量见表 2-17，由表中可以看出，柱 3 铁的含量最高，柱 2 铝的含量最高，而柱 1 钙和镁的含量最高，但各组分含量相差不是很大。PO_4—P 可以与渗透介质颗粒表面氧化膜和氢氧化膜中的铁、铝、钙、镁等相结合产生沉淀。如本次试验所选用的三种砂土的 pH 值为 7.07～8.60，均为中性偏弱碱性，在这样的 pH 值条件下，磷可与钙生成 $Ca_5(PO_4)_3OH$ 沉淀，从而可以去除部分磷，并且 pH 值越大，沉淀反应进行得越充分，磷的去除效果越好，反应式如下：

$$5Ca^{2+} + 4OH^- + 3HPO_4^{2-} \rightarrow Ca_5(PO_4)_3OH \downarrow + 3H_2O$$

$$(2-4)$$

（二）停留时间对磷迁移的影响

由图 2-4 可知，饱水时柱 2 和柱 3 的渗透流速明显小于柱 1，相应的其水力停留时间大于柱 1；非饱水时柱 1 的流速减小，水力停留时间则逐渐增大。渗透流速越小,水力停留时间越长,则磷在砂柱中吸附、沉淀反应进行得越彻底,磷的去除率也越高,和本次试验得出的结论一致,柱 2 对磷的去除效果最好,其次为柱 3,最差为柱 1。

表 2-16　砂土中粘土矿物含量　　　　　　（W_B/%）

粘土矿物名称	柱 1	柱 2	柱 3
蒙脱石	<5	<5	<5
伊利石	7	8	3
高岭石	3	4	6

表 2-17　砂土中氧化物含量　　　　　　（W_B/%）

土柱名称	Al_2O_3	Fe_2O_3	FeO	MgO	CaO	MnO
柱 1	9.82	1.76	0.86	3.17	4.88	0.045
柱 2	11.59	1.61	0.97	1.98	4.17	0.037
柱 3	11.50	1.91	1.37	2.30	4.50	0.047

(二)柱 1 磷穿透的原因分析

试验运行初期,柱 1 中污水的渗透速度很快,污水中的磷在通过砂柱时,能够被砂柱中含量很少的粘土矿物所吸附,仅仅 13 天就很快达到吸附饱和,产生穿透现象。在此过程当中,沉淀反应可能会有少量发生,但由于污水流速快,水力停留时间短,故磷的去除机理主要为吸附作用。随着试验运行时间的延长,污水中大量的污染物质被截留于砂柱中,造成污水在砂柱中渗透流速的减小,水力停留时间的增长,使得磷的沉淀反应能够充分发生;污水中的悬浮物质在砂柱上部的截留、积累,会形成少量的底泥,加大对磷的吸附作用;另外,越来越多的有机质随污水被带入砂柱中,为砂柱中的微生物提供了充足的碳源,使得微生物(主要是聚磷菌)能够在试验初期好氧条件下吸收污水中的磷。正是由于上述原因才使得柱1在磷穿透以后,磷的去除率又逐渐上升。而柱2和柱3无论是在70多天以前的饱水阶段,还是以后的非饱水阶段,在发生吸附作用的同时沉淀反应进行得较充分,所以没有产生磷穿透现象。

综上所述可以得出以下结论:长期排污河水在下渗过程中磷去除的主要机理是沉淀反应、吸附作用同时存在,但由于磷一般以阴离子形式存在,本身不易被吸附,即使被吸附,也受到河床下部渗透介质中吸附剂含量的限制,在很短的时间内达到吸附饱和(如柱1),所以沉淀反应才是排污河中的磷最重要的和长期发挥作用的去除机理。

二、COD迁移转化机理的讨论

COD是指化学氧化剂氧化水中有机物和还原性无机物所消耗的氧量。由于水中各种有机物进行化学氧化的难易程度不同,COD只表示在一定条件下(或规定条件下)水中耗(需)氧有机物需氧量总和的相对值。

按照在水中的存在形式,COD可以分为悬浮性COD和溶解性COD。国外称悬浮性COD为Particulate COD,它是由悬浮在水中聚集成微小颗粒的有机污染物的化学需氧量构成,它与溶解性COD的区别在于它不溶于水,作为悬浮物的一部分,可以通过机械过滤大部分得以去除。此外,悬浮性COD中可生物降解部分也可以通过微生物降解得以去除。溶解性COD的部分去除则主要是由于吸附作用,即由于渗透介质表面所带电荷对水中带电离子或胶体产生吸附,将部分溶解性COD及部分悬浮性COD固定在渗透介质表面,进而在微生物的作用下得以降解去除。从COD的定义可以看出,实际上COD的组成应包括这样三部分:一部分是可以被微生物降解的有机物,另一部分是不可以被微生物降解的有机物,还有一部分是消耗氧量的其他物质(包括一些无机离子)。所以,COD并非水中有机污染物的含量,而是一个替代参数,用此参数可以反映或指示水体受有机污染的程度,COD越高,表明水体受有机污染越严重。在其组成的三部分中,通过生物降解的仅是第一部分,第二部分主要靠吸附作用、挥发作用以及化学降解等其他作用得到很少部分去除。

微生物对有机污染物的降解过程实际是有机污染物在微生物的异化分解过程中减少或降低,是有机污染物在微生物作用下的氧化还原反应过程,可以分为有氧生物降解和无氧生物降解,这两种过程是截然不同的,它们对有机污染物降解的过程、产物、速率以及产生的能量等均有明显区别,可以分别用下面两个反应方程式来代表:

$$C_6H_{12}O_6 + 6O_2 \rightarrow 6CO_2 + 6H_2O + 2\ 863.3\ kJ \tag{2-5}$$

$$C_6H_{12}O_6 \rightarrow 2CH_3CH_2OH + 2CO_2 + 225.7\ kJ \tag{2-6}$$

比较以上两个反应方程式,可以得出以下几点结论:

(1)前一反应是在有溶解氧存在的条件下,由好氧微生物完成,后一反应是在无溶解氧存在的条件下,由厌氧微生物完成。

(2)前一生物氧化反应的受氢体(电子受体)是分子态的氧,后一生物氧化反应的受氢体(电子受体)是分解形成的有机物(如CH_3CH_2OH)。

(3)前一反应进行得彻底,其COD值由192 g/mol降低到92 g/mol,后者的降低值仅为前者的52.1%。

(4)前一反应释放的能量较大,约2 863.3 kJ,后一反应释放的能量较小,约225.7 kJ,后者仅为前者的7.88%。此外,在能量利用上,前者能量利用率为63.8%,后者仅为42.6%。

(5)好氧生物降解的产物比较单一(如CO_2和H_2O),而厌氧生物降解的产物则因菌种及环境条件的不同而多种多样,如

CH_3CH_2OH、$CH_3CH_2CH_2CH_2OH$、$CH_3CH_2CH_2COOH$、CH_3COOH、CH_3COCH_3 或其他。

(6)由于能量代谢水平不同,好氧微生物的合成速率快,菌体增量多,而厌氧微生物的合成速率慢,菌体增量少[21]。

排污河水化学成分复杂,既接纳了沿岸城镇大量的生活污水,又有两岸工厂大量的工业废水注入。一般来说,由于生活污水中有机污染物浓度含量不是很高,而且可生化降解的有机物所占比重较大,为70%~80%(见表2-18),因此好氧生物降解更能发挥较好的作用。厌氧生物降解则对高浓度有机废水比较适合。通过厌氧降解,废水中很多微生物难以降解的大分子有机物可转变成易生物降解的小分子有机物。在试验初期饱水条件下,好氧生物降解更能发挥较好的作用。随着渗透介质由饱水向非饱水的过渡,随污水进入渗透介质的溶解氧逐渐减少,渗透介质内部也由开始的好氧环境转变成为厌氧环境,这时COD则主要通过厌氧生物降解得以去除。试验中在相同的进水浓度下,在第93天以前,柱1出水的COD浓度是柱2和柱3出水浓度的1~2倍,而在第93天以后则是柱2和柱3出水浓度的2~6倍。从去除率的角度来说,三柱COD的去除率总体上都是非饱水大于饱水阶段,如柱1在第68天、柱2和柱3在第59天以后的非饱水阶段的去除率分别为28%~70%、74%~94%和61%~91%,而在这之前的饱水阶段三柱的去除率分别为10%~36%、58%~82%和47%~81%。中砂对COD的去除效果明显好于粗砂,这主要是由于介质本身的性质所决定的。与粗砂相比,两种中砂的砂粒直径小,比表面积大,介质孔隙直径小,水流通道曲折复杂,污水在介质中的迁移距离长,渗流速度慢,水力停留时间长,并且粘粒物质含量和粘土矿物含量多,又含有一定量的有机质和微生物,所以,中砂对COD的过滤截留、吸附和生物降解作用进行得较粗砂充分和彻底。

通过以上数据分析说明在 1.2 m 深度下,三种砂土均对 COD 有一定的去除作用,中砂优于粗砂,但如果进水 COD 浓度比较高时,COD 也能有一部分穿过渗透介质进入地下水中,尤其是粗砂。

表 2-18　生活污水的典型成分[22]

污水成分	浓度(mg/L)		
	高浓度	中等浓度	低浓度
化学需氧量(COD)	1 000	500	250
溶解性(COD)	400	200	100
悬浮性(COD)	600	300	150
可生物降解部分 COD	750	350	200
其中:溶解性	375	175	100
悬浮性	375	175	100
总氮(以 N 计)	85	40	20
有机氮	35	15	8
铵氮	50	25	12
亚硝酸氮	0	0	0
硝酸氮	0	0	0
碱度(以 $CaCO_3$ 计)	200	100	50

注:据高拯民等,1991。

三、氮迁移转化机理的讨论

从 1913 年 Lohis 对氮的迁移转化开始系统研究以来,到目前为止,人们对氮污染和氮转化的研究已经有 90 多年的历史,期间经历了从定性阶段到定量阶段的发展历程。定性研究阶段通过模拟研究,主要侧重于机理方面的研究,国外的代表人物有 Lohis、J.C.Lance[23]、A.Mercado[24]、V.Janda[25]、M.I.Soares[26]等,国内的代表人物有钟佐燊[22]、朱兆良[27]、李良谟[28]、区自清[29]等。定量研究阶段主要侧重于各种氮化合物相互转化的量之间的关系研究，以公式或数学模型来描述，代表人物有 Kinzelbach、W Schafer[30]，J Grossmann、B Merkel[31]、王秉忱，孙衲正，林学钰等。研究的深度不断加深，如 Cho C M、Zhou Q 和倪吾钟等研究了有溶解 O_2 存在条件下 NO_3—N 的反硝化作用[32~34]，赵林等通过向包气带中注入人工培植的高效脱氮菌对生物除氮的影响因素及变化规律进行了探讨[35~36]。最近研究发现，在厌氧反应器中氨可直接作为电子供体进行反硝化作用，称之为厌氧氨氧化(Anaerobic Ammonium Oxidation，简记为 Anammox)，许多学者对此进行了研究[37~41]。NH_4^+ 的各种氧化途径及反应自由能如表 2-19 所示。

表 2-19　NH_4^+ 的氧化途径及反应自由能[42]

反应序号	反应方程式	$\Delta G°$(kJ/mol)
1	$5NH_4^+ + 3NO_3^- \rightarrow 4N_2 + 9H_2O + 2H^+$	-297
2	$NH_4^+ + NO_2^- \rightarrow N_2 + 2H_2O$	-358
3	$10NH_4^+ + 2NO_3^- + 5O_2 \rightarrow 6N_2 + 16H_2O + 8H^+$	-310
4	$2NH_4^+ + 2O_2 + H_2 \rightarrow N_2 + 4H_2O + 2H^+$	-435
5	$8NH_4^+ + 6O_2 \rightarrow 4N_2 + 12H_2O + 8H^+$	-316

由表 2-18 可知，一般生活污水中氮主要以有机氮和铵氮的形式存在，其中有机氮占总氮的 37%～41%，铵氮占总氮的 59%～63%，亚硝酸氮和硝酸氮含量很小。我国七大水系——长江、珠江、黄河、松花江、辽河、淮河和海河的铵氮普遍严重超标，其中长江和淮河还存在亚硝酸盐污染。室内试验中由于为了探讨排污河中重金属对地下水的影响，加入了硝酸铅，致使试验进水中硝酸氮

含量增加。本次试验主要研究了硝酸氮、铵氮和总氮的迁移转化规律，下面依次分阶段进行讨论。

（一）NO_3—N 的迁移转化

由本章第二节的数据可知，从 NO_3—N 出水浓度和进水浓度的比较来看，三柱都经历了相同的变化过程，即经过了下面三个阶段：出水浓度大于进水浓度，出水浓度略小于进水浓度和出水浓度远小于进水浓度。如柱 1 第 1～20 天出水浓度大于进水浓度，第 21～43 天出水浓度略小于进水浓度，第 44～225 天出水浓度比进水浓度小 67%～85%。柱 2 和柱 3，在第 1～11 天基本上出水浓度大于进水，第 12～48 天柱 2 的出水浓度比进水浓度小 65% 以下，柱 3 的出水浓度比进水小 46%～76%，第 49～216 天柱 2 和柱 3 的出水浓度比进水浓度小 92.3%～99.6% 不等。从三柱出水 NO_3—N 的去除率来看，柱 1 在 31 天、柱 2 在 22 天和柱 3 在 15 天以前，三柱出水的 NO_3—N 去除率为负值，以后去除率逐渐升高，柱 1 去除率大多在 70% 以上，柱 2 和柱 3 多在 75% 以上。

第一阶段：NO_3—N 出水浓度大于进水浓度，去除率为负值。该阶段主要发生在试验初期，由于土柱未被堵塞，污水流速较快，随污水带入柱内少量溶解氧，发生了硝化作用，部分铵氮转化成了 NO_3—N，同时也不排除原来存在于砂土中的少量 NO_3—N 随污水被带了出来。

硝化作用是指 NH_4—N 在自养型微生物的作用下被氧化为 NO_3—N 的过程。反应分两步进行。第一步是 NH_4—N 通过亚硝化菌转化为 NO_2—N，第二步是 NO_2—N 通过硝化菌转化为 NO_3—N，即：

$$NH_4^+ + 1.5O_2 \xrightarrow{\text{亚硝化杆菌}} NO_2^- + H_2O + 2H^+ + \text{能量} \quad (2\text{-}7)$$

$$NO_2^- + 0.5O_2 \xrightarrow{\text{硝化杆菌}} NO_3^- + \text{能量} \quad (2\text{-}8)$$

参与硝化作用的微生物主要为亚硝化毛杆菌属、亚硝化球菌属以及硝化杆菌属，统称为硝化菌。硝化菌的增长与水中 NH_4—N、溶解氧(DO)以及碳源的浓度有关，但是，一般情况下，碳源不足以成为硝化菌增长的限制因素。因此，硝化菌的增长仅与 NH_4—N 和 DO 的浓度有关，增长速率符合双重 Monod 模式，即：

$$\mu = \mu_{max} \frac{S_N}{K_N + S_N} \cdot \frac{S_O}{K_O + S_O} \tag{2-9}$$

式中　μ——硝化菌的比增长速率，$1/d$；

　　　μ_{max}——硝化菌的最大比增长速率，$1/d$；

　　　S_N——NH_4—N 浓度，mg/L；

　　　S_O——溶解氧浓度，mg/L；

　　　K_N——铵氮饱和常数，mg/L；

　　　K_O——溶解氧饱和常数，mg/L。

影响硝化作用的因素主要包括溶解氧、温度、pH 值、基质浓度以及毒物等。硝化作用的温度范围为 5～50 ℃，最佳温度为 30～35 ℃。E_h＞250～300 mV 产生硝化作用[43]。

在该阶段三柱 NO_3—N 的出水浓度分别为 11.0～55.2 mg/L、20.0～23.0 mg/L 和 4.0～16.5 mg/L，可看出柱 1＞柱 2＞柱 3。本试验中在其他影响因素相同的条件下，影响硝化作用的主要因素应是随污水进入土柱内部的溶解氧的量。在该阶段污水通过土柱的流量和渗流速度分别为：柱 1 在第 1～31 天的流量为 313～567 mL/h，流速为 0.426～0.770 m/d；柱 2 在第 1～22 天的流量为 62～114 mL/h，流速为 0.084～0.173 m/d；柱 3 在第 15 天的流量为 46～120 mL/h，流速为 0.063～0.163 m/d，污水流经柱 1 的流量和渗流速度均大于柱 2 和柱 3，可以有更多的氧随污水进入柱 1。另一方面，从渗透介质的性质来看，柱 1 为粗砂，粗颗粒物质含量大，细颗粒物质含量小，不均匀系数小，介质内部颗粒之间的空隙连通性要好于柱 2 和柱 3,为氧进入土柱创造了较为畅通的通道,所以柱 1 的硝化作用要强于柱 2 和柱 3。该阶段历时非常短暂,如柱 1 为 20 天,柱 2 和柱 3 仅为 11 天。硝化作用时间的长短主要取决于排污河的水质以及河床下部渗透介质的性质等因素。

第二阶段:NO_3—N 出水浓度略小于进水浓度,出水的去除率开始由负值转变为正值,但去除率数值不大。由于污染物不断地随污水被带到土柱内,污染物质的截留、吸附和沉淀等作用使得土柱内越来越多的空隙被堵塞,随污水进入介质内的溶解氧越来越少,介质内部由好氧环境逐步向微氧或厌氧环境过渡和转变,硝化作用越来越弱,反硝化作用开始产生。该阶段历时也很短,如柱 1 为 22 天,柱 2 和柱 3 为 36 天。

第三阶段:NO_3—N 的出水浓度远小于进水浓度,出水去除率较第二阶段增大很多。随着渗流时间的延长,土柱内部的堵塞更加严重,能进入柱内的氧变得更少,介质内部基本上成为微氧或厌氧环境,此时 NO_3—N 主要通过反硝化作用得以去除。该阶段历时很长,柱 1 为 181 天,柱 2 和柱 3 为 167 天。

反硝化作用是指 NO_3—N 通过微生物还原为气态氮(N_2、N_2O)的过程。参与该过程的微生物通常是异养型细菌,其细胞合成所需的能量主要来自于有机碳,适用于厌氧环境。反应式为:

$$2HNO_3 \xrightarrow[-2H_2O]{+4H^+} 2HNO_2 \xrightarrow[-2H_2O]{+2H^+} 2NO \xrightarrow[-H_2O]{+2H^+} N_2O \xrightarrow[-H_2O]{+2H^+} N_2$$

$$(2\text{-}10)$$

式(2-10)可分解为下列三个主要反应:

$$2NO_3^- + 10H^+ + 10e \rightarrow N_2 + 4H_2O + 2OH^- \qquad (2\text{-}11)$$

$$2NO_2^- + 6H^+ + 6e \rightarrow N_2 + 2H_2O + 2OH^- \qquad (2\text{-}12)$$

$$N_2O + 2H^+ + 2e \rightarrow N_2 + H_2O \qquad (2\text{-}13)$$

如果碳源为葡萄糖($C_6H_{12}O_6$),则反硝化作用可表示为:

$$C_6H_{12}O_6 + 4NO_3^- \rightarrow 2N_2 + 6H_2O + 6CO_2 + 4e \qquad (2\text{-}14)$$

因此,在反硝化过程中,NO_3^- 和有机物两者均作为反硝化菌的基质被同时利用,其反应动力学可用双重 Monod 模式描述,即:

$$v_{DN} = k \, \frac{S_1}{k_1 + S_1} \cdot \frac{S_2}{k_2 + S_2} \qquad (2\text{-}15)$$

式中　v_{DN}——反硝化速率,$mgNO_3$—$N/mgVSS \cdot h$;

　　　　k——最大反硝化速率,$mgNO_3$—$N/mgVSS \cdot h$;

　　　　k_1——有机物的米氏常数,mg/L;

　　　　k_2——NO_3—N 的米氏常数,mg/L;

　　　　S_1——有机物(BOD$_5$)浓度,mg/L;

　　　　S_2——NO_3—N 浓度,mg/L。

影响反硝化作用的因素主要有有机碳源的种类和浓度、硝酸盐浓度、溶解氧、温度、pH 值以及毒物。反硝化作用的温度范围为 $3\sim85\ ℃$,最佳温度为 $35\sim65\ ℃$;$E_h < 250\sim300\ mV$ 产生反硝化作用。一些学者认为,反硝化的主要产物是 N_2O,只有 pH>7 时,N_2O 可迅速还原为 N_2,pH<6 时,这个反应受强烈的抑制[43]。

综上所述,由于硝化作用非常短暂,它只对排污河形成早期河床下部渗透介质中 NO_3—N 的去除起到一定的作用,NO_3—N 最主要还是依靠反硝化作用得以去除。

(二)铵氮的迁移转化

三柱铵氮的迁移转化也经历了三个阶段,其中柱 2 和柱 3 由于介质性质比较接近,变化规律相似,现分开来讨论。

柱 1 经历了这样三个阶段:第 17 天以前,出水浓度小于进水浓度,并且出水浓度随时间逐渐增大,第 17 天时铵氮基本产生穿透;第 18~140 天,出水浓度仍然小于进水浓度,但进出水浓度非常接近,去除率大多小于 10%;第 141~225 天,出水浓度大于进水浓度。第一阶段,铵氮的吸附作用和硝化作用同时发生,这两种作用对于出水铵氮浓度的变化起着相反的作用,从开始吸附到逐渐达到吸附饱和,出水铵氮浓度应是逐渐增加的,而硝化作用应使得铵氮浓度减少,所以本阶段主要是铵氮达到吸附饱和产生穿透的过程,该过程中也会伴随有硝化作用,但硝化作用不对铵氮浓度变化起主导作用。第二阶段,由前面的 $NO_3—N$ 的迁移转化规律分析可知,渗流第 1~20 天主要发生硝化作用,第 21~43 天由硝化作用向反硝化作用过渡,所以在本阶段的前期,会有微弱的硝化作用发生,后期可能还会有少量的吸附作用存在,造成本阶段的铵氮去除率很低。第三阶段,铵氮达到吸附饱和产生解吸,故铵氮出水浓度大于进水浓度。

柱 2 和柱 3 经历的三个阶段为:柱 2 在第 1~106 天,柱 3 在第 1~96 天,出水浓度很小,比进水降低了 90%;柱 2 在第 107~141 天,柱 3 在第 97~131 天,出水浓度比进水分别降低了 34%~63% 和 60%~73%;柱 2 在第 142~216 天,柱 3 在第 132~216 天,出水浓度比进水浓度有所升高,但升高幅度不大。第一阶段,由于柱 2 和柱 3 为中砂,粘粒物质含量大(见表 2-4),吸附作用显著,再加上本阶段前期的硝化作用,故出水的铵氮浓度很小,去除率很高(>90%);第二阶段,随着渗流时间的延长,铵氮吸附渐趋饱和,所以柱 2 和柱 3 出水的铵氮浓度开始回升,直至在第 131 天和第 141 天分别达到吸附饱和产生穿透;第三阶段,同样是发生了铵氮的解吸。

NH_4^+ 随水向下运动过程中,可能被渗透介质吸附在其表面上,属于阳离子吸附(交换),是可逆的。土壤中 NH_4^+ 的吸附容量与土中的 CEC 及水中的 AAR(铵吸附比)有关。AAR 的数学表达式如下:

$$AAR = [NH_4^+]/\sqrt{([Ca^{2+}] + [Mg^{2+}])/2} \qquad (2\text{-}16)$$

AAR 和 EAR(交换性铵比)的关系遵循下列回归方程：

$$EAR = 0.036\ 0 + 0.105\ 1AAR \qquad (2\text{-}17)$$

$$EAR = NH_4 x / (CEC - NH_4 x) \qquad (2\text{-}18)$$

式中　EAR——交换性铵比，无量纲；

　　　$NH_4 x$——土中的交换性铵，meq/100g；

　　　CEC——阳离子交换容量，meq/100g。

变换式(2-18)可得：

$$NH_4 x = EAR \times CEC / (1 + EAR) \qquad (2\text{-}19)$$

作者对三柱铵氮的吸附进行了计算。通过测试得知生活污水中的 Ca^{2+}、Mg^{2+} 和 NH_4^+ 的平均浓度分别为 1.955 meq/L、1.475 meq/L 和 3.51 meq/L，带入式(2-16)求得水的铵吸附比 AAR 为 4.597，再带入式(2-17)得到交换性铵比 EAR 为 0.519，然后由式(2-16)可求出土中的交换性铵 $NH_4 x$，$NH_4 x$ 乘以土柱的装土量求得土柱的铵吸附容量，最后可以由土柱的铵吸附容量除以污水中 NH_4^+ 的浓度，反求出当土柱达到吸附饱和时输入的总水量，计算结果列于表 2-20。从表 2-20 中可以看出柱 2 和柱 3 由于污水渗流速度比较慢，水力停留时间较长，所以铵的吸附反应进行得比较彻底，达到吸附饱和时输入水量的计算值和实测值相差不大，而柱 1 则由于渗透介质为粗砂，污水流速快，在试验初期铵的吸附反应进行得不充分，所以输入水量的计算值和实测值相差很大。每一种介质都有一定的吸附容量，当达到吸附饱和时，吸附作用对氮的去除就会很快失效，前面的试验结果也证实了这一点，当铵产生穿透以后发生了铵的解吸现象。可见，不管是粗砂，还是中砂，铵氮很容易在其中迁移，对地下水构成威胁，只是由于粗砂粒径大，不均匀系数小，污水通过粗砂时渗透流速快，铵氮能够更迅速地进入地下水，而在中砂中，铵氮需要足够的时间，待其达到吸附饱和后同样也能进入地下水，对地下水造成污染。

表2-20　铵的吸附计算

土柱名称	柱1	柱2	柱3
CEC(meq/100g)	1.776	2.036	2.652
装干土量(kg)	34.500	32.300	33.900
土中的交换性铵 $NH_4 x$ (meq/100g)	0.607	0.696	0.906
整个土柱的 NH_4^+ 吸附容量(meq)	209.349	224.693	307.173
达吸附饱和时的输入总水量计算值(孔隙体积数)	6.939	6.829	9.857
达吸附饱和时的输入总水量实测值(孔隙体积数)	17.326	7.924	8.744

(三)总氮的迁移转化

总氮的迁移转化规律实际上是铵氮和 NO_3—N 迁移转化规律的综合反映,是吸附作用、硝化作用和反硝化作用共同作用的结果和体现。由于上面已经对铵氮和 NO_3—N 的迁移转化进行了深入的探讨,故这里不再对总氮作赘述。

对于一般都有着十几年到几十年纳污历史的排污河来说,吸附作用是非常短暂的,氮去除的最主要机制还应是在微生物作用下的硝化和反硝化作用。室内试验表明,仅在排污河形成初期由于河床下部渗透介质未被污染物质堵塞,渗透性能较好,O_2 可随污水进入渗透介质内,发生了硝化作用,很快地渗透介质内部变成微氧或厌氧环境,并且排污河形成的时间越长,在河床底部形成的底泥厚度越大,河床下部渗透介质内部的厌氧程度越高。排污河水在下渗过程中氮的去除主要依靠反硝化作用,这是排污河氮转化的最主要的特点。

四、重金属迁移转化机理的讨论

(一)Cr(Ⅵ)的迁移转化

铬污染主要来源于冶炼、电镀、制革、印染等工业的含铬废物和废水。天然水中铬的含量在 $1\sim40\mu g/L$ 之间[44]。铬主要有两种氧化态：Cr(Ⅲ)，以带正电的络合离子形式存在，如 $CrOH^{2+}$、$Cr(OH)_2^+$，或以带负电的络阴离子形式存在，如 $Cr(OH)_4^-$；Cr(Ⅵ)，均以络阴离子形式存在，如 CrO_4^{2-}、$HCrO_4^-$、$Cr_2O_7^{2-}$ [43]。Cr(Ⅵ)比 Cr(Ⅲ)毒性大。Cr(Ⅵ)在中性和碱性条件下能稳定存在，在酸性条件下则很不稳定，容易被还原成 Cr(Ⅲ)，原因是酸性条件下 Cr(Ⅵ)的存在需要很高的 E_h，这在一般环境条件下很难满足。

Cr(Ⅵ)一般以络阴离子形式存在，理论上在土壤中是比较容易迁移的，但室内试验表明，长期淹水的排污河中的 Cr(Ⅵ)除了在粗砂中在较短的时间内产生穿透外，随着时间的推移，铬很难进入地下水，在中砂中，铬更不易进入地下水。为什么会产生这样的试验结果呢？下面主要从 Cr(Ⅵ)的迁移转化机理来探讨这个问题。

Cr(Ⅵ)的迁移转化机理可以归纳为还原、沉淀/溶解和吸附/解吸等化学过程。在 Fe^{2+}（Eary 和 Rai，1988[45]）、S^{2-}（王立军等，1982[46]）、有机酸、腐殖酸，甚至单纯的 H^+（溶液酸化）存在下，Cr(Ⅵ)的还原反应可以发生，并且 pH 值越低，还原反应越快[46~49]（王立军等，1982；Bartlett 和 Kimble，1976；Goodgame D.M.L，1984；Stollenwerk 和 Grove，1985）。在中性和石灰性土壤的嫌气条件下，有机质也可以使 Cr(Ⅵ)发生有效还原（Bartlett 和 Kimble，1976[47]），最终产物是溶解度很小的 $Cr(OH)_3$ 或 $(Cr,Fe)(OH)_3$ 沉淀。这也正是利用亚铁盐、硫化物（如黄铁矿）和有机质等治理 Cr(Ⅵ)污染的依据所在。在天然土壤条件下，进入土壤的六价铬 Cr(Ⅵ)被还原成三价铬 Cr(Ⅲ)后，几乎不会再重新被氧化（Saleh F.Y 等，1989[50]）。

Cr(Ⅵ)在一般情况下是极易溶解的。Cr(Ⅵ)被还原成Cr(Ⅲ)

后形成的 $Cr(OH)_3$ 沉淀,也可以称为 $Cr(Ⅵ)$ 的间接沉淀。中性溶液中 $Cr(OH)_3$ 的溶度积 $K_{sp}=7×10^{-31}$,在 $pH=6~11$ 的范围内 $Cr(OH)_3$ 的溶解度几乎在检测限 $(2\mu g/L)$ 以下。研究表明,$Cr(OH)_3$ 和 $Fe(OH)_3$ 形成的共沉淀 $(Cr_xFe_{1-x})(OH)_3$ 具有更低的溶解度[51]。

$Cr(Ⅵ)$ 能被 Fe、Mn、Al 的氧化物、粘土矿物、胶体和自然土壤所吸附。吸附量和浓度的关系可用经验性的 Langmuir 或 Freundlich 等温吸附线来描述。人们用表面络合反应模式来描述水溶性铬酸根在矿物 (SiO_2) 或氧化物 $(Fe_2O_3·H_2O$ 等)表面上的专属吸附,取得了较大的成功。Davis 和 Leckie(1980)发现每个 $Cr(Ⅵ)$ 分子可与 $3~4$ 个羟基表面位进行络合[52],结合形式为:

$$SOH+H^++CrO_4^{2-}\rightleftharpoons SOH^{2+}—CrO_4^{2-}\quad(pH>6.5)$$

$$(2\text{-}20)$$

或

$$SOH+H^++HCrO_4^-\rightleftharpoons SOH^{2+}—CrO_4H^-\quad(pH<6.5)$$

$$(2\text{-}21)$$

表面络合反应与浓度、竞争阴离子及 pH 存在依从关系,具体表现为:①在稀浓度情况下,不论吸附剂是什么,$Cr(Ⅵ)$ 的吸附随 pH 降低而增加,这表明正电荷增加有利于 $Cr(Ⅵ)$ 阴离子的吸附。②当水溶性 CrO_4^{2-} 浓度增加时,或支持电解质浓度提高时,吸附量(%)相对减少,主要是由于离子的表面占有影响了界面电位,降低了固体表面对阴离子的库仑引力。③普通阳离子(K^+、Ca^{2+}、Mg^{2+} 等)的浓度只对 $Cr(Ⅵ)$ 吸附起轻微影响,而其他阴离子(CO_3^{2-}、SO_4^{2-}、PO_4^{3-} 等)的存在却降低了 CrO_4^{2-} 的表面络合吸附。有研究表明,地下水中其他阴离子对 $Cr(Ⅵ)$ 的表面络合反应影响程度很大[53]。

研究 $Cr(Ⅵ)$ 迁移转化机理的常用方法主要有等温吸附法和

土柱法,也分别被称为静态法和动态法。Bartlett 和 Kimble (1976)、Bartlett 和 James(1979,1983)用等温吸持方法研究了 Cr 的化学行为,提出了区别吸附态 Cr(Ⅵ)(交换态)和还原态 Cr(Ⅵ) (非交换态)的有效方法[47,54,55]。Selim 等(1989)采用土柱淋滤试验研究了 Cr(Ⅵ)溶液在不同土壤中的迁移转化过程[56],并用如下迁移方程描述 Cr(Ⅵ)的迁移过程:

$$\rho\,\frac{\partial S}{\partial t} + \theta\,\frac{\partial C}{\partial t} = \theta D\,\frac{\partial^2 C}{\partial x^2} - V\,\frac{\partial C}{\partial x} - Q \qquad (2\text{-}22)$$

式中　C——Cr(Ⅵ)溶液的浓度,mg/L;

　　　θ——土壤含水量,m^3/m^3;

　　　ρ——土壤容重,mg/m^3;

　　　D——水动力学弥散系数,m^2/d;

　　　V——达西(Darcy)流速,m/d;

　　　x——土壤深度,m;

　　　t——时间,d;

　　　S——土壤固相中的溶质 Cr(Ⅵ)浓度,mg/kg,即土壤对 Cr(Ⅵ)的吸附量;

　　　Q——溶质从土壤溶液中的去除(或供给)速率, mg/(m^3·d),亦称源/汇项。其中:

$$Q = \rho\,\frac{\partial S}{\partial t} = \theta K_{irr}\,C \qquad (2\text{-}23)$$

式中　K_{irr}——不可逆反应(指 Cr(Ⅵ)的还原)速率常数。

关于土壤对水中六价铬 Cr(Ⅵ)去除的动力学研究,Amacher 等(1988)[57]、陈英旭等(1992)[58]和张国梁(1994)[59]得出了相同的结论:土壤对水中六价铬 Cr(Ⅵ)去除过程是土壤对 Cr(Ⅵ)的吸附反应和还原反应共同作用的结果,整个过程可以分为快、慢两个步骤,快反应主要以 Cr(Ⅵ)的吸附反应为主,慢反应中还原作用表现得更为重要。

柱 1,在第 1～13 天铬的出水浓度不断升高,去除率不断降低,直至在第 13 天时产生穿透,该阶段内 $Cr(Ⅵ)$ 的去除主要靠吸附作用,被土柱中的 Fe、Mn、Al 的氧化物和粘土矿物(见表 2-16 和表 2-17)所吸附,并很快达到吸附饱和,同时也会伴随有沉淀反应发生,但由于污水渗透流速很快,沉淀反应进行得不充分,不对 $Cr(Ⅵ)$ 的去除起主要作用。第 13 天之后,铬的出水浓度急剧下降,去除率很快上升,直到从第 76 天开始,以后一直维持很低的出水浓度,保持较高的去除率(>82%),这主要是由于随着试验的进行,污水流速渐渐减小,水力停留时间增长,$Cr(Ⅵ)$ 的去除以还原作用为主。

柱 2 和柱 3,出水浓度始终小于柱 1,在试验开始的最初 20～30 天内,柱 2 和柱 3 出现了短暂的去除率下降,这应该和柱 1 一样是吸附和沉淀共同作用的结果,所不同的是由于柱 2 和柱 3 为中砂,粗颗粒物质含量少,细颗粒物质含量多,不均匀系数大,在试验初期渗透流速小于柱 1,沉淀反应从一开始就较为充分,所以柱 2 和柱 3 没有发生铬的穿透现象。之后铬的去除率一直呈上升趋势,直到从第 68 天开始,以后一直保持很低的出水浓度和很高的去除率(>95%),这主要是还原反应所作用的结果。

长期淹水的渗透介质内部为厌氧的还原性环境,含有 Fe^{2+}、腐殖酸及有机质等还原性物质,砂土中的 FeO 含量(见表 2-17):柱 1 为 0.86%,柱 2 为 0.97%,柱 3 为 1.37%;三柱的有机质含量:柱 1 为 0.249%,柱 2 为 0.095%,柱 3 为 0.155%。表 2-21 给出了三柱进出水中铁的浓度,从表中不难看出进水污水中 Fe^{2+} 占总铁的 85%,而三柱出水中 Fe^{2+} 的浓度比进水分别降低了 73%、95% 和 100%,这正从一个侧面反映了污水中的 Fe^{2+} 在经过渗透介质时作为还原剂被氧化而导致浓度降低,$Cr(Ⅵ)$ 可以被还原成 $Cr(OH)_3$ 或 $(Cr,Fe)(OH)_3$ 沉淀而得以去除,所以,出水中的 Fe^{3+} 浓度较进水无明显增加。中砂比粗砂对 $Cr(Ⅵ)$ 的去除效果要好,原因和前面讨论过的总磷和 COD 类似,介质本身的性质决定了污水在介质中的渗流状况,进而影响了介质中吸附和还原反应的进行程度。

表 2-21　进出水铁浓度　　　　（单位:mg/L）

水样名称	pH	总铁	Fe^{2+}	Fe^{3+}
进水	7.27	0.689	0.584	0.100
柱 1 出水	7.90	0.158	0.157	0
柱 2 出水	8.17	0.162	0.028	0.130
柱 3 出水	8.07	0.005	0	0.005

注:表中各项指标为 2002 年 3 月 26 日测。

所以,尽管 Cr(Ⅵ)一般以络阴离子形式存在,理论上在土壤中是比较容易迁移的,但试验证明,由于长期排污河下部渗透介质内部为厌氧环境,含有多种还原性物质,使得 Cr(Ⅵ)发生还原反应生成沉淀而得以去除,铬很难进入地下水。由于受到介质内部所含吸附剂种类和数量的限制,吸附作用对 Cr(Ⅵ)的去除起到一定作用,但作用时间非常短暂,不对 Cr(Ⅵ)的去除起主导作用。

(二)铅的迁移转化

天然水中铅主要以 Pb^{2+} 状态存在,其含量和形态明显地受水中 CO_3^{2-}、SO_4^{2-}、OH^- 和 Cl^- 等含量的影响,铅可以 $PbOH^+$、$Pb(OH)_2$、$Pb(OH)_3^-$、$PbCl^+$ 和 $PbCl_2$ 等多种形态存在。在中性和弱碱性的水中,Pb^{2+} 浓度受 $Pb(OH)_2$ 所限制,在偏酸性天然水中,Pb^{2+} 浓度受硫化铅所限制[44]。

铅容易和水中其他离子生成沉淀。Pb^{2+} 很容易被水体中悬浮颗粒物、沉积物以及包气带中的吸附剂所吸附,而且这种吸附常常是不可逆反应的化学吸附[44]。

从试验结果可见,铅在粗砂中短时间内会对地下水造成一定的污染,而在中砂中则基本上都被截留于渗透介质中,其中主要是介质表层 0.2 m 范围内,造成对土壤的重金属污染,而一般不会造成地下水的污染。铅的去除机理主要是化学吸附和生成沉淀。

五、有机物迁移转化机理的讨论

控制有机污染物在水—土壤体系中迁移、转化的主要机理是挥发、吸附和生物降解。

(一)挥发

在包气带或饱水带,当溶解的污染物或非水相污染物与气相接触时,会发生挥发作用。影响挥发的因素有化合物的水溶解性、蒸汽压及土壤的吸附作用等,其中,蒸汽压是影响有机污染物挥发的主要参数,其受温度的影响较大。Cohen(1984)证实温度每升高 10 ℃,挥发性将增大 4 倍[60]。蒸汽压表征了化合物蒸发的趋势,也可以说是有机溶剂在气体中的溶解度。水中溶解的有机溶质的挥发用亨利定律来描述:

$$P = K_H C_w \qquad (2\text{-}24)$$

式中　P——污染物在水面大气中的平衡分压,Pa;

　　　K_H——亨利定律常数, Pa·m^3/mol;

　　　C_w——污染物在水中的平衡浓度,mol/m^3。

根据亨利定律常数的大小,可以初步判断物质从液相向气相转移的速率。当 $K_H < 3 \times 10^{-2}$ Pa·m^3/mol 时,认为化合物基本不挥发;$K_H > 3 \times 10^2$ Pa·m^3/mol 时,挥发作用是主要的物质迁移机理。

胡枭[61]等人从挥发性物质的水溶解性、蒸汽压和吸附系数估算所得的挥发速率与观察到的挥发性有很好的相关性。位于土壤深层的污染物,在其从地表挥发至大气之前,需先迁移至地表,这个过程一般认为属于一维扩散。由于土壤的非均匀性,可用 Fick 第二定律描述此过程。

(二)吸附作用

土壤和沉积物对有机污染物的吸附作用是影响有机物环境行为的重要作用之一,它使有机物残留于土壤和沉积物中,从而影响其移动性和生物毒性。影响吸附作用的因素主要有有机污染物的物理和化学特征、土壤的特征及外界因素。

1.污染物的特征

在影响有机化合物环境化学行为的众多因素中,溶解度是最重要的一个因素。由于水是一种极性溶剂,所以有机物在水中的溶解度与其极性强弱有关,一般是极性越强则溶解度越大,反之则小。溶解度越小的有机化合物在土壤—水体系中的分配系数越大,土壤有机质越容易吸收并保留它们,释放的速度也就越慢,它们在环境中的残留时间也就越长。

按照极性特征可将化合物分为三类:离子或带电荷的物质、不带电荷的极性物和不带电荷的非极性物。有机污染物包括所有三种类型,非极性物包括三氯乙烯、四氯乙烯、氯代苯、甲苯和二甲苯;农药和酚在溶液中带电荷或为极性分子。污染物的极性特征影响吸附遵循以下规律:对于带电荷的物质,异性相吸;对于不带电荷的物质,相似相吸,所谓相似,指污染物和土壤的极性相似。

2.土壤的特征

影响吸附的土壤特征包括矿物组成、渗透性、空隙度、土壤结构、均一性、有机质含量、表面电荷与表面积等。其中土壤有机质含量及其成分是决定土壤对有机污染物吸附量大小的关键性因素。

Lambert[62]最先认为土壤有机质可能起有机萃取剂的作用,非极性有机化合物在土壤有机质与水之间的分配作用相当于该化合物在水—与水不相溶的有机溶剂之间的分配。Chiou 等[63]应用高分子溶液化学理论,认为土壤有机质对有机污染物是吸收,不是吸附作用,而是一种非竞争性的吸入作用,即分配(partition)作用。

对土壤有机质而言,含碳量的增加和氢、氧、氮含量的降低意味着有机质成分中木质化程度高、活性基团少和极性较弱,反之则极性较强。所以常用 C/O 和 C/N 来表示土壤有机质活性和极性的强弱,C/O、C/N 的比值低,则土壤有机质极性较强,反之则极性较弱。弱极性土壤有机质对有机污染物吸收量较大,而强极性土壤有机质则吸收量较小[64]。

3. 外界因素

温度、盐度、介质的酸度及共溶剂效应等均对有机化合物的吸附作用产生影响。如五氯酚在溶液的 pH 值低于 4.7 时,为不带电的极性分子;在溶液的 pH 值大于 4.7 时,为阴离子,其溶解度从 14 mg/L 增加到 90 mg/L。

关于土壤/沉积物吸附有机污染物的机理,国外学者进行了大量的研究。Leenheer 和 Ahlrich[65]用杀虫剂对硫磷进行吸附试验时发现,吸附是一个可逆过程。Karickhoff 等人[66]对芘和甲氢滴滴涕的吸附试验也发现,在较大的浓度范围内,吸附是线形和可逆的。DiToro 和 Horzepa[67]以湖泊沉积物为吸附剂吸附多氯联苯类时,发现这些吸附既有可逆的,也有不可逆的。Mingelgrin 和 Gerstl[68]观察到非离子型杀虫剂被土壤吸附时的非线形等温线现象。20 世纪 90 年代以来,该方面的研究进入了高潮。Weber 等人[69]提出了多元反应模型:土壤/沉积物对有机污染物总的吸附反应是由一系列线形的和非线形的吸附反应组合而成的。所观察到的宏观吸附现象实际上是由微观上很多机理各不相同的吸附组成。线形部分的吸附服从相分配机理,而非线形部分则与表面反应有关。Weber 和 Huang[70]还提出了三端员模式,他们将土壤/沉积物中吸附有机污染物分为无机矿物表面、无定形的土壤有机质和凝聚态的土壤有机质三个部分,其中前二者对有机污染物的吸附以相分配为主,凝聚态的土壤有机质对有机污染物的吸附则表现为非线形的。Xing 等人[71]发现土壤有机质是一个双模式的吸附剂,它以两种不同的机理来吸附有机污染物:分配方式与空隙充填方式(hole-filling),后者符合 Langmuir 等温吸附,此模型不仅适用于非极性有机化合物,也可用于极性有机化合物。

(三)生物降解

土壤和沉积物中的微生物在许多有机污染物的中间和最终降解过程中起到了很大的作用。微生物在其代谢过程中,分解有机化合物,获得生长、繁殖所需的碳及能量。有机物的生物降解是一个氧化还原反应,有机物失去电子被氧化,电子受体得到电子被还原。通常,有机物的氧化总是首先利用氧作为电子受体,其次是 NO_3^-、$Fe(III)$、SO_4^{2-} 和 CO_2。

影响有机物生物降解的因素主要有两类:一是污染物的特性(有机化合物的结构及物理化学性质)和微生物本身的特性。不同的有机化合物其生物可降解性不同。已有的研究表明:①结构简单的有机物一般先降解,结构复杂的后降解。分子量小的有机物比分子量大的有机物易降解。②有机化合物主要分子链上除碳元素外还有其他元素时,不易被氧化。③取代基的位置、数量和碳链的长短也影响化合物的生物降解。如对苯系物生物降解性的研究结果表明,间二甲苯和对二甲苯的降解难易程度相近,间位略优于对位,而邻二甲苯很难降解。苯与甲苯相比,甲基的引入提高了化合物的可生物降解性。与甲苯相比,二甲苯和三甲苯的生物降解性随甲基数量的增加而变得困难。乙苯比甲苯难降解,原因为取代基碳链越长,生物降解越困难。④易溶于水的化合物比难溶于水的化合物易被生物降解,原因有二:一是不溶于水的化合物,其代谢反应只限于微生物能接触的水和污染物的界面处,有限的接触面妨碍了难溶化合物的代谢。另外,微生物的分布、密度、种类、群体间的相互作用及驯化程度均影响有机物的生物降解。二是控制反应速率的环境因素,如温度、酸碱度、湿度、溶解氧、微生物的营养物和吸附作用等。温度对土壤中微生物的活性影响很大,一般来说,在 0~35 ℃温度范围内,增高温度能促进细菌的活动,适宜温度通常为 25~35 ℃。大多数微生物对 pH 值的适应范围在 4~10 之间,最适值为 6.5~7.5 之间,过高或过低的 pH 值对微生物的生长繁殖不利。土壤中湿度的大小影响着氧的水平,溶解氧和 E_h 值的大小决定着生物降解过程中何种化合物作为电子受体。吸附作用阻碍了有机物的生物降解。

实验室和野外的试验都证明,好氧条件下微生物可以降解苯系物(BTEX)[72~75]。由于氧易消耗,不易补充,地下水污染区多处于微氧或厌氧状态,近年来的研究重点已转向厌氧条件下 BTEX 的研究。研究表明,硝酸盐还原、铁还原[76~77]、硫酸盐还原[78~79]和产甲烷作用[80~81]条件下 BTEX 都能被微生物降解,但反硝化条件下苯是否被降解仍是一个有争议的问题,有的认为苯不降解[82~84],而有的认为苯能降解[85~87],李东艳(2000)进行了一系列以未污染的稻田土为接种物的苯和甲苯生物降解微环境试验。试验表明,反硝化条件下苯和甲苯都能被微生物降解,甲苯比苯更易降解,甲苯的存在促使了苯的降解[88]。

关于卤代烃类的生物降解问题,目前有两种说法:①厌氧生物降解。在厌氧条件下,四氯乙烯(PCE)能够通过还原脱氯作用转化为三氯乙烯(TCE)、二氯乙烯(DCE)和氯乙烯(VC),部分矿化生成二氧化碳[89~90],TCE 转化的半衰期为 300 天[89];在氯代烃作为各种细菌的电子受体的厌氧环境下,脱氯作用很容易发生[91]。②好氧条件下,氯代烃的生物降解仅仅发生在和其他化合物,如甲苯共存时,土著微生物在降解甲苯时,氯代烃同时发生降解。这种降解方式称为"共降解"(cometalolism),又称"共氧化"(cooxidation)。在 1972 年,Horvath 确认了 20 多种共代谢细菌[92],从此许多微生物菌种被确认。十多年来,TCE 和甲苯之间的共代谢作用得到了广泛的研究[93~94]。

本试验中苯系物的去除是挥发、吸附和生物降解共同作用的结果。在土柱的表层,试验运行的初期,挥发对苯系物的去除曾起到一定的作用,随着试验的进行,土柱内部逐渐被堵塞,挥发渐渐作用减小。前已述及,土壤有机质含量及其成分是决定土壤对有机污染物吸附量大小的关键性因素。三柱的有机质含量:柱1为0.249 0%;柱2为0.095 3%;柱3为0.155 3%。而试验结果表明不管是饱水还是非饱水阶段,柱2对苯系物的去除效果最好,其次是柱3,柱1最差。由此可以推断,吸附对本试验中苯系物的去除发挥了一定的作用,由于土体内的有机质含量有限,吸附总有达到饱和的时候,而生物降解才应该是更为重要的去除机理,而且在土柱内部主要是厌氧条件下苯系物的微生物降解。

本试验中后期的非饱水阶段更加符合长期排污河的实际情况,结果表明苯系物容易穿过粗砂进入地下水,造成对地下水的有机污染。

小　结

通过以上分析和讨论,对污水灌入土柱试验可以得到如下结论:

(1)在饱水条件下,三柱的流量:柱1为38~566 mL/h,柱2为4~127 mL/h,柱3为11~120 mL/h,粗砂的污水渗透流量远远大于中砂;而当逐渐转变为非饱水条件时,三柱的流量:柱1为1~35 mL/h,柱2为4~79 mL/h,柱3为7~88 mL/h,粗砂的渗透流量急剧下降,小于中砂,甚至出现多次断流现象,而中砂的渗透流量变化平缓,并且夏季有回升趋势。影响渗透流量出现上述变化规律的主要原因有:介质本身的物理性质,如颗粒大小、不均匀系数等,这是最根本的起决定作用的影响因素;柱体内截留的污染物总量;温度的升高有利于微生物的活动。

(2)总磷在渗透介质中随深度的增加去除率升高。柱1粗砂在累计孔隙体积数为 13.728 时,总磷基本产生穿透,随后,总磷的去除率逐渐回升,非饱水阶段去除率大多在 60%～80%,最大为第 172 天的 93.46%;而柱 2 和柱 3 中砂没有穿透现象,饱水时柱 2、柱 3 出水处总磷去除率均在 92% 以上,后期柱 2 大于 95%,柱 3 均大于 96%。可见,三种砂土均对总磷有去除效果,而两种中砂明显优于粗砂,也就是说,长期排污河中的磷不容易穿过中砂污染地下水,对于粗砂,可能会在早期对地下水有一定的威胁,但随着时间的推移,加上实际的包气带厚度很大,排污河中的磷最终能进入地下水的量很少。由于磷的吸附受到渗透介质中吸附剂的种类和数量的限制,在很短的时间内会达到吸附饱和(如柱 1),所以沉淀反应是排污河的磷去除中长期发挥作用的最重要的去除机理。

(3)柱 1,铵氮在第 17 天(孔隙体积数为 17.326)时基本产生穿透,以后浓度变化不大,去除率大多小于 10%,140 天(孔隙体积数为 62.663)以后为负去除,说明 NH_4^+ 发生了解吸。柱 2 和柱 3 从试验开始去除率一直很高,均在 90% 以上,柱 2 到第 131 天(孔隙体积数为 7.924)、柱 3 到第 141 天(孔隙体积数为 8.744)时铵氮达到吸附饱和产生穿透,随后铵氮发生解吸为负去除。可见,不管是粗砂,还是中砂,铵氮很容易在其中迁移,对地下水构成威胁,只是由于粗砂粒径大,不均匀系数小,污水通过粗砂时渗透流速快,铵氮能够很快达到吸附饱和,更迅速地进入地下水,而在中砂中,铵氮需要足够的时间,待其达到吸附饱和后同样也能进入地下水,对地下水造成污染。

NO_3-N 变化规律明显,在试验开始很短的时间内,介质内主要发生硝化作用,铵氮转化成了 NO_3-N,出水 NO_3-N 浓度升高。而随着介质逐渐被堵塞,柱内变成了微氧或厌氧状态,随之发生了反硝化作用,NO_3-N 浓度逐渐降低。说明长期排污河中的 NO_3-N 大多数(70% 以上)在渗透介质中通过反硝化作用,转变

为气态氮而逸失,不会像污灌那样对地下水造成大面积的
NO_3—N污染。

总氮的变化规律主要受制于铵氮和 NO_3—N 的变化,是二者
的综合反应。排污河水在下渗过程中氮的去除主要依靠反硝化作
用,这是排污河氮转化的最主要的特点。

(4)COD随深度变化规律不明显。在1.2 m深度下,三种砂
土均对 COD 有一定的去除作用,中砂(60%～90%)优于粗砂
(77%),但如果进水 COD 浓度比较高时,COD 也能有一部分穿过
渗透介质进入地下水中,尤其是粗砂。COD 主要通过厌氧生物降
解得以去除。

(5)Cr(Ⅵ)一般以络阴离子形式存在,理论上在土壤中是比较
容易迁移的,但试验证明,除了在粗砂中 Cr(Ⅵ)在较短的时间内
产生穿透外,随着时间的推移,铬很难进入地下水,在中砂中,铬更
不易进入地下水。柱1在试验初期由于污水渗透流速很快,Cr
(Ⅵ)的去除主要靠吸附作用,被土柱中的铁、锰、铝的氧化物和粘
土矿物所吸附,很快达到吸附饱和,产生穿透现象。随着试验的进
行,污水流速渐渐减小,水力停留时间增长,Cr(Ⅵ)的去除以还原
作用为主,Cr(Ⅵ)可以被还原成 $Cr(OH)_3$ 或 $(Cr,Fe)(OH)_3$ 沉淀
而得以去除。

铅在粗砂中短时间内会对地下水造成一定的污染,而在中砂
中则基本上都被截留于土壤中,尤其是土壤上部0.2 m范围内,造
成对土壤的重金属污染,而一般不会造成对地下水的污染。铅的
去除机理主要是不可逆的化学吸附和生成沉淀。

(6)在排污河这样开放的环境条件下,在1.2 m 的深度范围
内,苯系物仍有可能穿过粗砂有少量进入地下水,造成对地下水的
污染,中砂对苯系物的去除效果好。苯系物的去除机理主要是挥
发、吸附和生物降解,其中生物降解是最主要的去除机理。

第三章　长期排污河对地下水
影响的野外试验研究

——以凉水河为例

凉水河属北运河水系,发源于卢沟桥乡的水头庄,流向东南,经万泉寺、大红门、旧宫、马驹桥、张家湾入北运河。河道全长53km,流域面积555 km²。其中通县境内河道长28.38 km,流域面积263 km²,是通县境内的一条重要排灌河流。随着北京市经济的飞速发展,凉水河已逐渐变成了一条污水河,主要接纳两岸的工业和生活污水。本章主要通过凉水河土样分析以及在凉水河进行抽水的野外试验,来探讨凉水河对其邻近的浅层地下水的影响情况。

第一节　凉水河土样分析

通过在凉水河河床上打洛阳铲孔,获取河床下部厚度约为1.0 m的土样进行分析,从而了解污染物在水(包括河水和地下水)、土之间的分配以及在土中的分布情况。

一、试验目的

取凉水河底泥及其下部土样做化学分析的主要目的,是了解实际排污河下部土壤对污染河流中污染物的去除和净化所发挥的作用,并和室内试验对比,为后面的排污河还清后河床及其下部渗透介质中残留污染物的释放试验提供科学依据。

二、试验设计

试验于 2002 年 4 月 3 日在通县境内凉水河下游张家湾处打了两个洛阳铲孔:凉 1 和凉 2,其中凉 1 孔深 0.8 m,距河中心距离为 30.7 m,凉 2 孔深 1.2 m,距河中心距离为 35.7 m。丰水期时凉水河河面宽度为 400～600 m 不等,枯水期时河面宽度小于 50 m,4 月份是枯水期,实际上凉 1 和凉 2 均位于凉水河河床里。取回河床底泥及河床下部土样,分别测定 NH_4—N 解吸量、磷和有机物含量。试验方法如下:

(1)土中 NH_4—N:称取样品 10 g(精确到 0.1 g)于 100 mL 三角瓶中,加 20%氯化钠溶液 50 mL,振荡 30 min,用定性滤纸过滤,滤液盛于瓶中,测 NH_4—N 含量,并换算成土中 NH_4—N 解吸量。

(2)土中总磷及可溶磷:称取样品 5 g(精确到 0.01 g)于 200 mL 三角瓶中,加入 100 mL 的 0.5 mol/L 碳酸氢钠溶液,振荡 30 min,用无磷滤纸过滤,滤液盛于瓶中测磷含量,所得为总磷含量;方法同前,只是将 100 mL 的 0.5 mol/L 碳酸氢钠溶液换成 100 mL 蒸馏水,所测得的为可溶磷含量。

(3)土中有机物:取土样适量于 10 mL 玻璃瓶内,加盖密封,给每个样品瓶内注入 5 mL 的 1+1 甲醇溶液,置于水浴振荡机上振荡 30 min,然后用气相色谱法测试,以确定土中有机物的萃取量。因为是现场取土样,无法准确称量土样重量,按照最佳水土比5∶1,只能凭经验取土样适量,回实验室再准确称重。萃取剂的加入量要保证能够将土中有机物完全萃取出来。

三、试验结果及讨论

土中铵氮的变化规律:河水中的铵氮浓度为 56.34 mg/L,底泥中的铵氮为 555.6 $\mu g/g$,而凉 1、凉 2 中,凉 2 在 0.8 m 处吸附量最大,仅为 42.75 $\mu g/g$,可见底泥对铵氮的吸附作用是非常巨大的,其吸附量是其下部土壤的 10 多倍;凉 1、凉 2 的铵氮吸附量均随深度有增加趋势。铵氮吸附量随离河距离的变化规律:0.2～0.6 m 深度范围内,铵氮吸附量凉 1 大于凉 2,0.6～1.0 m 深度范围内,凉 2＞凉 1(见表 3-1 和图 3-1)。

表 3-1　凉水河土样分析结果　　　　　　（单位:μg/g）

土壤埋深 （m）	铵氮		可溶磷酸盐		总磷		固体磷酸盐	
	凉 1	凉 2	凉 1	凉 2	凉 1	凉 2	凉 1	凉 2
底泥	555.60		34.70		74.50		39.80	
0.2	13.70	1.45	15.42	15.42	25.64	23.25	10.22	7.83
0.4	17.22	3.22	6.69	9.66	28.22	39.03	21.54	29.37
0.6	20.78	6.67	12.17	11.52	26.99	26.63	14.82	15.11
0.8	16.55	42.75	14.55	18.44	31.42	22.62	16.87	4.17
1.0		36.37		4.34		12.09		7.75

土中磷的变化规律:总磷和可溶性磷酸盐随深度变化规律不明显。总磷等于可溶磷和固体磷酸盐之和,从表 3-1 和图 3-2 中可看出,固体磷酸盐大部分大于可溶磷,说明磷大部分以固态形式存在(包括沉淀),少部分以溶解态存在被吸附。底泥中的总磷和可溶磷比凉 1、凉 2 的最大值要大近一倍。

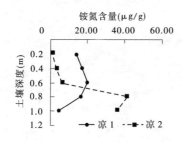

图 3-1　凉水河土样铵氮
含量变化曲线

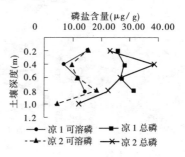

图 3-2　凉水河土样磷盐
含量变化曲线

　　土中有机物的变化规律:河水中苯系物未检出,氯代烃只检出了氯乙烯(28.34 μg/L),而在土样中检出了氯乙烯、三氯甲烷、四氯化碳、三氯乙烯和四氯乙烯,苯系物基本未检出。土中氯代烃的含量随深度变化规律不十分明显。由于河水取样为瞬时取样,一次取样结果不反应河水的平时浓度情况,土中的氯代烃为河水长期渗漏,在土中积累的结果。与无机污染物不同,底泥中的氯代烃浓度并不比其下部土壤中的浓度高,这是由于氯代烃挥发所致(见图 3-3)。

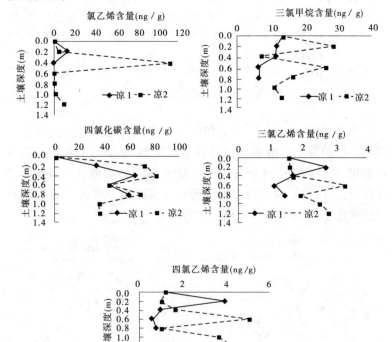

图 3-3　凉水河土样氯代烃含量变化曲线

第二节 凉水河对浅层地下水影响的试验概况

凉水河有着几十年的纳污历史,污染河水的长期渗漏势必会在其河床下部含水层中存在一定范围的污染晕,其污染物浓度应高于周围地下水,设想能否借助较强的外力作用来捕获这部分污染物,从而回答排污河是否对地下水有污染这个问题,于是提出了在凉水河边进行抽水的野外试验方案。

一、试验目的

通过在凉水河边打井、进行实地抽水,弄清楚凉水河这条排污河究竟对地下水有无影响,哪些组分对地下水有影响,污染的程度如何,以及污染的范围有多大等问题,作为对室内试验结果的补充、拓展和验证。

二、试验设计

试验于 2002 年 6 月初在凉水河下游通县境内张家湾处打了三口水泥管井,采用的打井工艺是泥浆钻进,粘土止水,井管外填约 0.40 m 厚的砂砾石滤料。井内径为 0.245 m,外径为 0.330 m。井深、井间距详见图 3-4。1# 井到河中心的距离约为 250 m,实际上 1# 井位于河床里,雨季凉水河涨水时,该井淹没于河水中。三口井从井口往下的岩性情况分别为:1# 井,7.5 m 的粉土,2.5 m 的砂质粘土,2.5 m 的粉细砂,7.5 m 的细砂;2# 井,7.5 m 的粉土,1.5 m 的砂质粘土,6 m 的细砂,2.5 m 的粉砂;3# 井,13.5 m 的粉土,9 m 的细砂,其中细砂自上而下颗粒由细变稍粗,井的底部含泥量稍高。煤厂井是张家湾煤厂的生活和生产用水井。

分别于 6 月 14 日在 1# 井抽水,历时 620 min,于 6 月 19 日在 2# 井抽水,历时 335 min。抽水过程中按照一定的时间间隔(先密

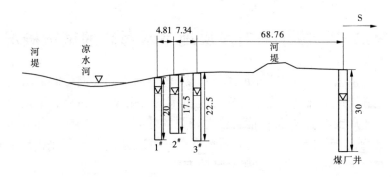

图 3-4　凉水河剖面示意图　（单位：m）

后疏）取水样，现场测定其 pH 值和电导率，实验室测定其无机常规离子、无机污染组分（同室内试验）以及有机组分——苯系物和氯代烃。

第三节　试验结果及讨论

需要说明的是，本节中各常规无机组分浓度表中的 NO_3^- 和 NH_4^+ 是用离子色谱测定的离子浓度值，而特征污染组分浓度表中的 NH_4—N 和 NO_3—N 是用国标法，即纳氏试剂法和紫外分光光度法测定的以 N 计的浓度值，两种方法相比较离子色谱所测得的 NH_4—N 偏高，而 NO_3—N 偏低，以国标法为准，离子色谱值作为参考。

一、浅层地下水污染状况

按照 GB3838—2002《地表水环境质量标准》，Ⅴ类水标准规定各污染组分浓度依次为：总磷 0.4 mg/L，COD_{Cr} 40 mg/L，Cr^{6+} 0.1 mg/L，总铅 0.1 mg/L，NH_4—N 2.0 mg/L。凉水河除硝态氮含量小于集中式生活饮用水地表水源地补充项目标准限值 10 mg/L

外,其余各污染组分浓度均大于Ⅴ类水标准,并且枯水期(4月)河水污染物浓度值大于丰水期(6月),这是由于丰水期充沛的降雨稀释了河水的污染物浓度。

为了确定排污河污染的范围,在离河较远处又找了两口井:马营井和葡萄园井,其中马营在煤厂西南,距煤厂310 m,井深150 m左右,葡萄园也在煤厂西南,距煤厂580 m,井深50 m左右,已有三四十年的开采历史。从表3-2可以看出,地下水的COD和NH$_4$—N变化规律基本相同,即离河越远,其浓度值越小,1$^{\#}$、2$^{\#}$、3$^{\#}$井和煤厂井的COD和NH$_4$—N远大于马营井。需要说明的是葡萄园井主要用于葡萄种植灌溉,其COD比马营井高,NH$_4$—N甚至比1$^{\#}$井高了近一倍,这和该井的农业污染和很长的开采历史有关。煤厂井的COD偏高也和煤厂的露天作业有关。可以肯定的是,凉水河对1$^{\#}$、2$^{\#}$和3$^{\#}$井存在着COD和NH$_4$—N的污染。至于其他组分:总磷,河水浓度为3.87 mg/L,地下水浓度均很小(<0.2 mg/L),和室内试验规律一致;Cr^{6+}和NO$_3$—N,河水浓度本身不高,地下水中也很小。

表3-2 凉水河及各井特征污染组分浓度 (单位:mg/L)

水样名称	Cr^{6+}	COD	TP	TN	NH$_4$—N	NO$_3$—N	pH
河水(2002年6月)	0.17	106.66	3.87	43.13	39.77	1.91	7.64
河水(2002年4月)	0.42	180.17	5.70	60.77	56.34	3.18	
1$^{\#}$	0.04	28.70	0.08	3.59	2.48	0.20	7.38
2$^{\#}$	0.05	30.50	0.09	4.31	1.47	2.43	7.44
3$^{\#}$	0.05	13.45	0.46	1.12	0.72	0.18	7.41
煤厂	0.05	33.53	0.06	0.53	0.39	0.09	7.21
马营	0.05	1.91	0.17	1.48	0.09	0.46	7.55
葡萄园	0.02	10.98	0.02	4.90	4.06	0.10	7.41

注:表中各组分浓度为2002年6月10日测。

从表 3-3 可以看出,常规阳离子中 Mg^{2+} 和 Ca^{2+} 均为地下水>河水,而 Na^+ 和 K^+ 为河水>地下水,并且除 1# 井外,K^+ 在地下水中的浓度表现为离河越远其值越小。阴离子 F^- 和 SO_4^{2-} 为地下水>河水(3# 井除外),Cl^- 表现为离河近的 1#、2# 井和煤厂井均>河水,且离河越远浓度越高,而远处的两口井 Cl^- <河水。从 Cl^- 的变化规律看不出河水对地下水有影响,地下水可能有其他的 Cl^- 来源。

表 3-3　凉水河及各井常规无机组分浓度（单位:mg/L）

水样名称	Na^+	K^+	Mg^{2+}	Ca^{2+}	F^-	Cl^-	NO_3^-	SO_4^{2-}	NH_4^+
河水 1	110.06	20.24	34.26	90.8	0.46	183.36	4.54	79.5	60.32
河水 2	110.36	21.52	37.7	92.8	0.44	185.2	4.26	80.14	64.38
1#	52.81	4.6	69.5	97.22	0.81	201.82	ND	96.56	8.25
2#	61.14	10.82	69.96	91.33	0.75	236.5	9.75	185.75	5.18
3#	40.47	4.09	60.77	70.57	0.8	96.21	ND	64.81	ND
煤厂	60.85	0.65	92.24	109.3	0.7	271.17	ND	172.15	ND
马营	56.49	0.42	47.73	67.97	0.44	55.94	1.31	45.38	ND
葡萄园	66.29	0.42	84.42	58.59	1.57	109.2	ND	114.74	ND

注:①表中各组分浓度为 2000 年 6 月 10 日测;②ND 表示未检出。

二、1# 井抽水凉水河对地下水的影响

1# 井离凉水河距离最近,考虑到在 1# 井抽水有可能很快、很明显地把河床下部含水层污染晕中的污染物质吸引过来,从而回答凉水河对地下水有无影响的问题,首先应该选择在离河最近的 1# 井进行抽水。

从表 3-4 和图 3-5 可看出,在 1# 井抽水 80 min 后,三井的水位降深分别为:1# 井为 5.18 m,2# 井为 2.72 m,3# 井为 0.89 m,

以后基本趋于稳定,变化很小,如 1# 井水位降深变幅为 0.46 m,
2# 井为 0.30 m,3# 井为 0.77 m。

表 3-4　1# 井抽水各井水位降深变化　　　　（单位:m）

抽水历时(min)	1#	2#	3#	抽水历时(min)	1#	2#	3#
0	0	0	0	380	5.41	2.90	1.56
80	5.18	2.72	0.89	500	5.35	2.90	1.63
140	5.11	2.62	1.31	620	5.57	2.92	1.66
260	5.46	2.52	1.18				

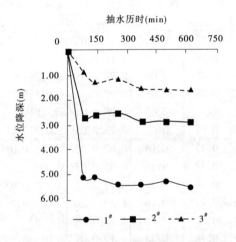

图 3-5　1# 井抽水各井水位降深历时曲线

从表 3-5 来看,河水的 COD 比较低,只有 82 mg/L ,1# 井抽
水,各井 COD 的浓度比没有抽水前低很多,除了 1# 井在抽水 80
min 时为 21.38 mg/L,其余多低于 10 mg/L,并且忽高忽低,无规
律可循。各井的 NH_4—N 浓度都不超过 1 mg/L,1#、3# 井和煤厂
井随抽水时间的延长浓度降低,2# 井随时间升高,变化幅度均很
小。NO_3—N、总磷和 Cr^{6+} 变化都不大。河水的 Pb^{2+} 浓度只有

0.009 mg/L,地下水中均高于河水,抽水的 1# 井浓度随时间而降低,2# 和 3# 井随时间升高。电导率也有同样的变化规律,1# 井随时间降低,2# 和 3# 井升高。这些数据反映了 1# 井在 620 min 的抽水过程中,不仅可能把河床下部的污染物抽过来,而且一定同时把周围污染物浓度低的较新鲜的地下水一并抽过来,新鲜地下水的加入稀释了污染物浓度,所以 1# 井抽水不能回答前面所提出的问题。

表 3-5　1# 井抽水各井特征污染组分浓度变化　　　(单位:mg/L)

井号	抽水历时(min)	COD	NH$_4$—N	NO$_3$—N	TN	TP	Cr^{6+}	Pb^{2+}	pH	电导率
1#	20	6.9	0.92	0.16	1.47	0.055	0.025	0.025	7.18	1 204
	80	21.38	0.76	0.09	1.11	0.059	0.014		7.15	1 148
	140	3.22	0.77	0.04	0.99	0.055	0.022		7.15	1 136
	260	10.22	0.68	0.05	0.97	0.055	0.011		7.21	1 077
	380	7.02	0.6	0.03	0.96	0.048	0.03		7.18	1 031
	620	0.41	0.61	0.07	0.73	0.068	0.027	0.019	7.2	1 003
2#	20	2.81	0.23	0.16	0.62	0.027	0.015	0.021	7.54	1 321
	380	4.02	0.33	0.25	0.65	0.071	0.009		7.14	1 340
	620	5.8	0.34	0.26	0.64	0.1	0.02	0.039	7.1	1 344
3#	20	2.33	0.82	0.16	1.37	0.57	0.006	0.024	7.8	1 185
	380	1.54	0.78	0.25	1.17	0.081	0.024		7.72	1 198
	620	13.29	0.74	0.23	1.19	0.093	0.015	0.039	7.63	1 144
煤厂	20	0.07	0.22	0.06	0.5	0.071	0.002		7.17	1 320
	620	3.22	0.15	0.1	1.9	0.064	0.005		7.09	
河水		82.03	46.86	2.79		3.7	0.214	0.009	7.5	

从表 3-6 来看,阳离子中 Mg^{2+} 和 Ca^{2+} 均为地下水>河水,1# 井随抽水时间浓度降低,Na$^+$ 和 K$^+$ 为河水>地下水,1#、3# 井随抽水时间浓度也降低。阴离子中 Cl$^-$ 表现为 1# 井随抽水时间的延长浓度降

低,而2#、3#井和煤厂井却随时间升高,F⁻、SO₄²⁻均随时间有降低趋势,但变化幅度不大。各井常规无机组分浓度变化随1#井抽水无明显的规律可循。

低,而$2^{\#}$、$3^{\#}$井和煤厂井却随时间升高,F^-、SO_4^{2-}均随时间有降低趋势,但变化幅度不大。各井常规无机组分浓度变化随$1^{\#}$井抽水无明显的规律可循。

表3-6　$1^{\#}$井抽水各井常规无机组分浓度变化　（单位:mg/L）

井号	抽水历时(min)	Na^+	NH_4^+	K^+	Mg^{2+}	Ca^{2+}	F^-	Cl^-	NO_3^-	SO_4^{2-}	HCO_3^-	CO_3^{2-}
河水		103.1	69.87	19.42	33.5	86.04	0.49	181.3	ND	86.77	519.52	ND
$1^{\#}$	20	54.16	ND	4.76	70.96	113	0.85	219.5	ND	102	439.32	ND
	80	47.88	ND	2.12	76.64	100.8	0.77	191.6	ND	79.88	453.27	ND
	140	46.48	ND	2.38	76.14	92.32	0.75	176.7	ND	71.03	442.81	ND
	260	43.34	ND	1.4	76.64	92.32	0.76	143.3	ND	53.77	453.27	ND
	380	41.71	ND	1.48	75.65	84.12	0.68	123.25	ND	45.18	460.24	ND
	620	39.64	ND	0.56	74.38	81.2	0.72	113.9	ND	40.76	467.22	ND
$2^{\#}$	20	73.32	ND	8.39	63.57	141.6	0.59	249.5	ND	187.6	467.22	ND
	380	59.79	ND	4.32	65.28	160.7	0.65	262.7	ND	161.5	289.39	6.86
	620	64.76	ND	10.49	68.23	164.3	0.67	270.4	ND	158.4	359.13	ND
$3^{\#}$	20	75.47	ND	12.69	59.33	117.1	0.72	186.9	ND	176.8	364.36	ND
	380	69.83	ND	10.24	61.68	116.6	0.79	192.7	ND	173	362.62	ND
	620	65.67	ND	9.5	57.7	109.6	0.78	202.8	ND	170.8	369.59	ND
煤厂	20	70.21	ND	0.21	101	107.9	0.73	259.8	ND	162.4	418.40	ND
	620	66.29	ND	0.8	100.6	115.6	0.73	275.8	ND	161.8	439.32	ND

注:ND表示浓度<0.01 mg/L。

　　由于河水只有甲苯有微量检出($3.58\ \mu g/L$),故各井均未有苯系物检出。河水的氯代烃中有四氯化碳($0.76\ \mu g/L$)和四氯乙烯($1.12\ \mu g/L$)检出(见表3-7),而$1^{\#}$井抽水过程中各井均检出这两种氯代烃,由此推断河水中的氯代烃可以通过河水渗漏进入地下水中,对地下水造成有机污染。

表 3-7　1$^#$井抽水各井氯代烃浓度变化　　（单位：μg/L）

抽水历时(min)	四氯化碳				四氯乙烯			
	1$^#$	2$^#$	3$^#$	煤厂	1$^#$	2$^#$	3$^#$	煤厂
20	0.77	0.77	0.76	0.82	0.33	0.27	0.26	0.36
80	0.76				0.30			
140	0.76				1.21			
260	0.76				0.28			
380	0.76	0.76	0.77		0.28	0.25	0.28	
620	0.76	0.79	0.78	0.76	0.27	0.30	0.28	0.25
河水	0.76				1.12			

三、2$^#$井抽水凉水河对地下水的影响

1$^#$井抽水不甚成功，于是选择在 2$^#$井抽水，主要在 1$^#$井观测污染物的浓度变化情况。此方案的选择主要是考虑了当在 2$^#$井抽水时，1$^#$井主要得到的是从河流方向的侧向补给，如果河流对地下水有影响的话，那么在 1$^#$井中应该能够得以反映。

2$^#$井抽水时，2$^#$井最大水位降深为抽水 205 min 时的 8.95 m，之后水位又回升了 1.3 m，1$^#$井最大水位降深为 2.95 m，3$^#$井为 1.43 m(见图 3-6 和表 3-8)。

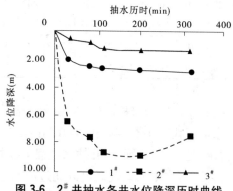

图 3-6　2$^#$井抽水各井水位降深历时曲线

表 3-8 2# 井抽水各井水位降深变化　　　　　(单位:m)

抽水历时(min)	1#	2#	3#
0	0	0	0
35	2.08	6.60	0.68
85	2.60	7.76	0.91
115	2.70	8.77	1.30
205	2.80	8.95	1.42
325	2.95	7.64	1.43

从表 3-9 来看,2# 井抽水特征污染组分中反应最为明显的是 COD,河水浓度为 78.21 mg/L,1# 在抽水开始时为 30.18 mg/L,30 min 时为 57.86 mg/L,以后随抽水时间延长浓度逐渐降低,325 min 时又回升为 25.26 mg/L,可以看出河水对地下水的影响,2#、3# 井和煤厂井 COD 浓度明显低于 1# 井,并随离河距离的增加而浓度降低,受河水的影响减小。河水中的 NH_4—N 浓度为 26.95 mg/L,但地下水中的 NH_4—N 浓度均小于 1.10 mg/L,随抽水时间变化规律不明显。NO_3—N、Cr^{6+} 和总磷在地下水中浓度均很低,分别为<0.33 mg/L、<0.03 mg/L 和<0.1 mg/L,而河水中的 Cr^{6+} 为 0.063 mg/L,大于 IV 类水标准(0.05 mg/L),总磷为 2.63 mg/L,远远大于 V 类水标准,这就说明凉水河中的 Cr^{6+} 和总磷对地下水影响很小,和室内试验结论一致。Pb^{2+} 在 1#、2# 和 3# 井中均有检出,浓度大于河水,并随抽水时间延长浓度降低,出现这种现象的原因可能和成井工艺、洗井不彻底等人为因素有关。这次抽水试验河水中苯系物和氯代烃均未检出,相应地,地下水中也未检出。常规离子的变化规律和 1# 井抽水类似(见表 3-10)。

表 3-9　2# 井抽水各井特征污染组分浓度变化　（单位：mg/L）

井号	抽水历时(min)	COD	NH₄—N	NO₃—N	TN	TP	Cr⁶⁺	Pb²⁺	电导率
1#	0	30.18	0.75	0.31	1.44	0.057	0.028	0.041	1 300
	30	57.86	0.76	0.30	1.56	0.044	0.021		1 287
	45	26.81	0.79	0.33	2.07	0.072	0.029		1 258
	75	20.01	0.56	0.13	0.86	0.030	0.009		1 265
	115	26.33	0.56	0.15	2.12	0.036	0.011		1 253
	145	13.15	0.59	0.14	0.89	0.006	0.027		1 265
	205	14.92	0.31	0.13	0.67	0.041	0.007		1 212
	265	23.33	0.51	0.14	0.77	0.066	0.007		1 178
	325	25.26	0.47	0.15	0.67	0.046	0.007	0.050	1 190
2#	10	15.55	0.48	0.07	0.71	0.055	0.029	0.016	
	75	15.79	1.06	0.07	1.34	0.097	0.011		1 173
	145		0.62	0.07	0.88	0.072	0.031		1 115
	325	8.87	0.58	0.05	0.79	0.066	0.014	0.045	1 060
3#	30	2.40	0.80	0.20	1.47	0.096	0.015	0.014	1 160
	145	2.14	0.93	0.18	2.01	0.099	0.001		1 189
	325	12.96	0.94	0.19	1.66	0.100	0.001	0.056	1 124
煤厂	115	2.92	0.53	0.17	1.65	0.071	0.008		1 399
	325	6.74	1.10	0.12	1.93	0.069	0.025		
河水		78.21	26.95	1.46	29.94	2.630	0.063	0.019	

表 3-10　2#井抽水各井常规无机组分浓度变化　（单位:mg/L）

井号	抽水历时(min)	Na$^+$	NH$_4^+$	K$^+$	Mg^{2+}	Ca^{2+}	F$^-$	Cl$^-$	NO$_3^-$	SO$_4^{2-}$	HCO$_3^-$	CO$_3^{2-}$
河水		93.01	55.26	18.62	31.01	79.15	0.76	157	ND	59.01	425.31	ND
1#	0	58.6	ND	2.46	57.61	150.5	0.76	220	ND	112.99	446.22	ND
	30	56.91	ND	3.19	55.81	155.6	0.75	216.8	ND	111	449.71	ND
	45	54.9	ND	4.4	57.92	159.6	0.73	214.8	ND	105.8	456.68	ND
	75	55.51	ND	2.58	56.5	159	0.73	206.4	ND	101.7	439.25	ND
	115	55.35	ND	2.48	55.01	162.1	0.71	216.1	ND	109.1	446.22	ND
	145	55.59	ND	2.41	52.84	163.2	0.94	213.6	ND	106.8	439.25	ND
	205	55.57	ND	2.57	54.89	153.6	0.71	183.2	ND	86.23	446.22	ND
	265	50.97	ND	1.86	54.34	147	0.76	198.3	ND	89.78	439.25	ND
	325	52.59	ND	2.51	54.48	149.4	0.73	199.1	ND	93.93	439.25	ND
2#	10	56.03	ND	3.33	94.43	130.2	0.76	251.1	ND	119.8	383.47	ND
	75	54.47	ND	4.19	82.77	101.5	0.83	217	ND	100.5	390.44	ND
	325	46.4	ND	1.4	80.49	89.82	0.81	220.3	ND	102.8	439.25	ND
3#	30	69.3	ND	7.83	64.12	121.2	0.78	207.4	ND	137.2	383.47	ND
	325	63.48	ND	7.23	64.33	122.1	0.77	190.6	ND	115.4	348.61	ND
煤厂	115	67.48	ND	0.48	103.9	113.1	0.8	268.3	2.08	158	390.44	ND

注:ND 表示浓度<0.01 mg/L。

通过河水和地下水浓度的比较,以及 2#井抽水可以得出和室内试验一致的结论:排污河确实对地下水存在着污染,主要的污染组分是 COD,NH$_4$—N 也有一些影响,但不如室内影响大,其他的污染组分 NO$_3$—N、Cr^{6+}、总磷和 Pb^{2+}对地下水的影响较小,氯代烃也对地下水有一定的影响。

四、室内与野外河水中 NH_4—N 对地下水影响的对比分析

在室内试验中关于 NH_4—N 的结论为:不管是粗砂,还是中砂,铵氮很容易在其中迁移,对地下水构成威胁,只是由于粗砂粒径大,不均匀系数小,污水通过粗砂时渗透流速快,铵氮能够更迅速地进入地下水;而在中砂中,铵氮需要足够的时间,待其达到吸附饱和后同样也能进入地下水,对地下水造成污染。而从上面分析的野外实际情况来看,地下水中的 NH_4—N 含量并不高。造成这两者不一致的原因主要有以下三个方面:

(1)底泥的影响。室内试验配水采用的是中国地质大学(北京)生活污水,测定其平均 SS 浓度为 42.2 mg/L,生活污水预沉淀1天后,加入药剂,搅拌,再静置1天后向土柱供水,这样生活污水中的悬浮物经过两天的放置后沉淀了许多,在配水桶的底部可以看到较厚的沉淀。再加上试验时间仅为 200 多天,所以在土柱上部形成的底泥非常少,较多的是一些截留的松散固体物质。而凉水河则不同,本身进入河流的工业废水和生活污水中的悬浮物就多,再加上几十年的积累,所以在河床底部形成了底泥,具体厚度不得而知,但在河边两个洛阳铲孔中底泥厚度有几厘米。由前面的凉水河土样分析结果:底泥中 NH_4—N 的吸附量为 555.6 $\mu g/g$,其下部土壤中最大的吸附量仅为 42.7 $\mu g/g$,前者超出后者 10 倍以上。可见,排污河底泥对 NH_4—N 巨大的吸附容量是造成地下水中 NH_4—N 含量低的主要原因。

(2)渗透介质厚度和岩性的影响。室内试验土柱厚度仅为 1.2 m。$1^\#$、$2^\#$ 和 $3^\#$ 井的渗透介质厚度分别为 10 m、9 m 和 13.5 m。由于采用的是泥浆钻进,没有取到岩心,不能做岩样的粒度分析,但从钻进过程中带出的岩样外观上来看,渗透介质主要是粉土

和砂质粘土,含水层主要是非常均匀的细砂,粒度和室内的柱2和柱3比较接近。这样由于野外渗透介质的厚度比室内大得多,岩性上细颗粒物质的含量也比室内土柱多,所以影响了 NH_4—N 向下迁移进入地下水,造成地下水中 NH_4—N 含量低。

(3)渗漏量的影响。室内试验仅进行了 200 多天,土柱上部形成的底泥很少,最后柱1粗砂的渗流量只有每小时几毫升,而柱2和柱3中砂的渗流量有每小时几十毫升。实际排污河的情况比室内土柱要复杂得多,不仅排污河纳污的历史久远,河水水质复杂多变,而且在河床底部形成了一定厚度的底泥,所有这些因素都影响着河水的渗漏量。凉水河目前的渗漏量无法得知,但根据经验推测应该很小。河水作为 NH_4^+ 向下迁移的载体,河水渗漏量的减小将直接影响进入地下水中 NH_4—N 的含量。

小　结

凉水河土样分析结果表明:

(1)底泥对铵氮的吸附作用是非常巨大的,其吸附量是其下部土壤的 10 倍多,并且铵氮吸附量随深度有增加趋势。

(2)排污河水在向下渗漏的过程中,其中的总磷大部分以固态形式存在(包括沉淀),少部分以溶解态存在被吸附。底泥中的总磷和可溶磷比其下部土壤1.0 m范围内相应磷含量的最大值还要大一倍,这说明底泥对磷的去除发挥了很大的作用。

(3)在土样中检出了氯乙烯、三氯甲烷、四氯化碳、三氯乙烯和四氯乙烯,苯系物基本未检出。土中的氯代烃为河水长期渗漏在土中积累的结果。与无机污染物不同,底泥中的氯代烃浓度并不比其下部土壤中的浓度高,这是由于氯代烃的挥发所致。

凉水河边抽水的试验结果表明:

(1)凉水河除硝态氮含量小于集中式生活饮用水地表水源地

补充项目标准限值 10 mg/L 外,其余各污染组分浓度均大于Ⅴ类水标准,污染严重。

(2)凉水河对地下水存在着污染,污染组分主要是 COD,NH_4—N 也有一些影响,但不如室内影响大,原因是底泥、渗透介质的厚度和岩性以及渗漏量的影响。其他无机污染组分 NO_3—N、Cr^{6+}、总磷和 Pb^{2+} 对地下水的影响较小,氯代烃对地下水也有一定的影响。

(3)从凉水河污染物浓度和抽水的结果分析,凉水河对地下水污染的影响范围不会很大,应不超过煤厂,1# 井到煤厂井的距离为 80.19 m,也就是说凉水河对地下水污染的影响大概在河两侧80 m 范围内。要想确定更准确的污染带范围,抽水试验时需加大河两侧井的密度。

第四章 排污河还清后河床中残留污染物对地下水的影响研究

污水河不仅从感官性状指标来说,河水颜色发黑,臭味熏天(如北京的凉水河),更重要的是严重影响了周围大气、水、土环境质量,给人们的生产和生活带来不利的影响,所以各级政府都积极地对污水河进行治理。如北京市政府于 1954 年、1955 年、1960年、1961 年、1971 年和 1979 年曾多次对凉水河进行全线疏挖治理。本章主要是利用室内试验的土柱,以清水代替污水来模拟排污河还清,探讨河床中残留污染物对地下水的影响,并通过测定土柱中残留污染物的量,分析污染物在水(包括河水和地下水)、土中的分配比例,进而确定排污河中各种污染物污染地下水的可能性及污染程度。

第一节 清水回灌试验

一、试验目的

本试验所要模拟研究的是当对污水河进行清淤治理,河流还清后清水会不会把截留在河床下部渗透介质中的污染物质带回到地下水中,造成地下水的污染。

二、试验设计

利用室内试验中已经连续灌入 200 多天污水的试验土柱,用自来水代替原来的试验配水,同时加入三个土柱,连续监测各柱流量及出水的污染物浓度变化情况,试验时间为 2002 年 9 月 2 日～2002 年 10 月 23 日,历时 51 天。

三、试验结果及讨论

(一)回灌流量的变化特征分析

前已述及,经过了 200 多天的污水灌入,柱 1 的流量急剧减小,甚至出现了多次断流,而柱 2 和柱 3 流量变化平缓,柱 3 绝大多数流量在 40 mL/h 以下,柱 2 除个别流量偏高(60～80 mL/h)外,多数均在 50 mL/h 以下。从图 4-1 可以看出,回灌流量除了刚开始两天很高以外,柱 2 和柱 3 流量基本稳定,柱 2 大多在 40～80 mL/h 之间,柱 3 大多在 50～90 mL/h 之间,柱 3 略大于柱 2。柱 1 流量波动较大,如在第 5～20 天流量为 44.39～96.62 mL/h,第 21～26 天流量出现了低谷,仅为 7.49～27.92 mL/h,随后又逐渐升高,第 27～39 天流量为 20.21～88.41 mL/h,第 40～51 天为 44.91～121.31 mL/h。所以首先可以肯定的一点是,清水的加入使得三柱的流量都大于污水灌入试验后期的流量,这是由于清水在通过土柱时,能够把堵塞在介质颗粒之间的一些污染物质带出,包括一些截留的悬浮物、物理吸附较弱的物质、化学沉淀以及微生

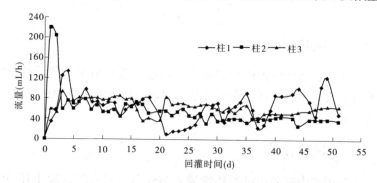

图 4-1　三柱回灌流量历时变化曲线

物膜等,部分地疏通了污水的渗流通道,提高了介质的渗透性能。柱1由于在上个阶段随污水带入的污染物质最多、堵塞最为严重,而且它本身孔隙直径又大,清水在把柱中污染物带出时,在某些地方可能会发生再次堵塞,所以柱1流量波动较大。

(二)污染物释放规律分析

清水通过土柱时,出水的特征污染组分中只有 COD 和 $NH_4—N$ 浓度较大。COD 随时间变化规律不明显,具有波动性(见图 4-2),如三柱在第 1 天、第 7 天和第 38 天回灌出水的 COD 较大,浓度为 11.89~43.53 mg/L,第 51 天时出水的 COD 浓度最小,分别为 3.3 mg/L、未检出和 6.66 mg/L。而 $NH_4—N$ 则随时间的延长浓度逐渐降低(见图 4-3),如三柱回灌出水的 $NH_4—N$ 浓度在第 1 天时分别为 57.58 mg/L、29.58 mg/L 和 41.36 mg/L,第 23 天时分别为 26.4 mg/L、21.76 mg/L 和 21.55 mg/L,第 51 天时分别为 8.32 mg/L、10.39 mg/L 和 10.18 mg/L。$Cr(Ⅵ)$ 的回灌出水浓度变化范围为 0.001~0.027 mg/L,有多次未检出。总磷的回灌出水浓度范围为 0.006~0.248 mg/L,同样也有多次未检出。$NO_3—N$ 出水浓度除了柱 2 在第 38 天和第 51 天比较大(4.65 mg/L 和 6.32 mg/L)外,其余均不超过 0.8 mg/L。Pb^{2+} 未检出(见表 4-1)。

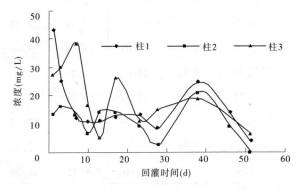

图 4-2 三柱回灌出水 COD 浓度变化曲线

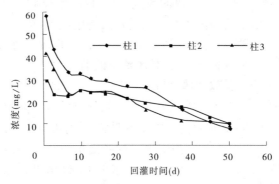

图 4-3　三柱回灌出水 NH_4—N 浓度变化曲线

表 4-1　清水回灌出水污染物浓度

回灌时间 （天）	COD（mg/L）			NH_4—N（mg/L）		
	柱 1	柱 2	柱 3	柱 1	柱 2	柱 3
1	43.53	13.33	27.43	57.58	29.58	41.36
3	24.96	16.54	30.14	42.80	23.56	34.74
7	11.89	13.60	37.94	32.66	22.63	23.63
10	10.82	6.54	16.89	32.34	25.55	24.75
13	10.74	14.16	5.27	29.74	24.47	23.97
17	13.21	14.53	26.08	28.96	23.99	25.20
23	12.61	8.85	11.06	26.40	21.76	21.55
28	8.71	3.05	15.97	26.05	19.67	16.64
38	24.54	21.23	19.00	16.42	17.71	11.83
46	13.64	8.89	11.84	10.56	12.86	11.55
51	3.30	—	6.66	8.32	10.39	10.18

续表 4-1

回灌时间	Cr(Ⅵ)(mg/L)			TP(mg/L)		
(d)	柱 1	柱 2	柱 3	柱 1	柱 2	柱 3
1	0.021	0.017	0.027	0.248	0.177	0.152
3	0.006	0.003	0.003	0.006	—	0.009
7	0.007	0.005	0.002	0.072	0.014	0.027
10	0.004	0.001	—	—	—	—
23	—	—	—	0.050	0.020	0.020
38	0.003	0.004	—	0.035	0.016	—
51	0.009	0.004		—	—	0.111

回灌时间	NO_3^-—N(mg/L)			pH 值		
(d)	柱 1	柱 2	柱 3	柱 1	柱 2	柱 3
1	0.29	0.06	0.29	6.72	7.31	7.30
3	0.32	0.20	0.56			
7	0.29	0.34	0.28	6.92	7.33	7.44
10	0.31	0.64	0.23	6.93	7.74	7.64
13	0.15	0.09	0.77	7.26	7.80	7.71
23	0.22	0.56	0.04	7.10	7.41	7.23
38	0.03	4.65	—	7.31	7.16	7.23
51	0.24	6.32	0.08			

注:Pb^{2+} 未检出。

前面已经提到,COD 的组成包括三部分:可以被微生物降解的有机物、不可以被微生物降解的有机物以及消耗氧量的其他物质(包括一些无机离子),其中通过生物降解的仅是第一部分,第二部分主要靠吸附作用、挥发作用以及化学降解等其他作用得到很少部分的去除。因此,被清水带出土柱的 COD 应以第二和第三部分为主,同时可能会含有少量没来得及完全降解的第一部分。

NH_4^+ 的吸附是物理吸附,即主要是靠静电引力吸附在带负电荷的土壤颗粒表面,这种键联力较弱,在遇到土壤溶液中有交换能力比它强的阳离子时,会发生阳离子交换反应。从表 4-2 可以看出,自来水中有一定量的 Ca^{2+} 和 Mg^{2+},它们的离子交换能力要强于 NH_4^+,当水通过土柱时,水中的 Ca^{2+} 和 Mg^{2+} 和土中吸附的 NH^{4+} 发生阳离子交换反应,将土中的 NH_4^+ 置换出来,具体的反应方程式如下:

表 4-2　清水回灌出水苯系物浓度　　　　（单位:$\mu g/L$）

回灌时间（天）	土柱名称	苯	甲苯	乙苯	间对二甲苯	邻二甲苯	异丙苯
	柱1	12.94	8.86	15.13	7.58	20.16	26.16
1	柱2	3.42	7.60	7.01	11.66	8.31	11.86
	柱3	8.90	23.86	11.15	13.86	32.09	17.77
	柱1	5.37	12.36	13.67	8.73	17.60	16.51
25	柱2	13.50	16.50	21.11	11.42	26.15	11.04
	柱3	9.90	31.17	15.74	21.83	16.31	20.19
	柱1	57.44	33.76	286.20	—	37.24	—
40	柱2	54.62	60.06	123.70	24.08	—	68.34
	柱3	24.20	35.61	85.14	32.90	49.65	23.46

$$Ca^{2+} + 2NH_4x \rightleftharpoons 2NH_4^+ + Cax \qquad (4-1)$$

$$Mg^{2+} + 2NH_4x \rightleftharpoons 2NH_4^+ + Mgx \qquad (4-2)$$

随着时间的推移,土中吸附的 NH_4^+ 不断地被水中的 Ca^{2+} 和 Mg^{2+} 交换出来,土中 NH_4^+ 的量不断减少,故回灌出水 NH_4—N

浓度不断降低。

　　Cr(Ⅵ)和总磷,在第二章中已经阐述它们的去除机理主要是沉淀,同时存在少量的吸附,其中沉淀比较难被清水带出,所以被清水带出的主要是被吸附的部分。由于受渗透介质中吸附剂种类和数量的限制,Cr(Ⅵ)和磷在介质中的吸附量很少,所以由于清水在柱内流速的加快而被带出的Cr(Ⅵ)和磷的量相应地也很少,这就进一步验证了吸附不是Cr(Ⅵ)和磷去除的主要机理。

　　表4-1中所列的是用国标法测定的NO_3—N的回灌出水浓度,从表中可看出柱1浓度随时间变化不大,大多在$0.2\sim0.3$ mg/L,柱2的出水浓度随时间有增大的趋势,变化范围为$0.06\sim6.32$ mg/L,柱3在第13天出水浓度最大为0.77 mg/L。表4-2中所列的是用离子色谱法测定的NO_3^-的回灌出水浓度,该值与国标法相比偏大,从9月4日到9月25日柱1和柱2的NO_3^-出水浓度增加了。排污河下部的渗透介质内部长期处于厌氧状态,一旦进行河道治理,清淤、灌入清水后,清水能够带出截留在介质内的少量污染物,部分地疏通渗流通道,那么清水中少量的氧可以随水进入介质内,发生硝化作用,应使得回灌出水的NO_3—N浓度有所升高。由于本次清水回灌试验的时间很短,NO_3—N的出水浓度变化不是十分明显,本身污染物被清水带出、清水中的氧进入介质也是一个非常漫长的过程。

　　Pb^{2+}在回灌出水中没有检出,这和Pb^{2+}的去除机理有关。Pb^{2+}的去除是一部分生成沉淀,一部分被介质中的吸附剂所吸附,而且是不可逆的化学吸附,所以Pb^{2+}不易被清水带出。

　　从表4-3可以看出,清水可以把柱体内残留的苯系物少量带出,并且随着回灌时间的延长,出水中苯系物浓度有增加的趋势。苯系物的去除机理主要是挥发、吸附和生物降解。三种砂土中的有机质含量有限,微生物的个数有限,而长期排污河源源不断地把苯系物带到土柱中。因此,被清水带出的少量苯系物应是超出砂土吸附容量和微生物降解能力而残留于土中的部分。

清水还会把土中的易溶盐淋滤出来(见表 4-2),如 K^+、Na^+、Ca^{2+}、Mg^{2+}、Cl^- 和 SO_4^{2-} 等,如果长期排污河下部土壤中这些离子含量高,那么清水会把这些离子带到地下水中,从而改变地下水的化学成分,影响其水质情况。

表 4-3　清水回灌出水无机常规离子浓度 (单位:mg/L)

日期	样名	Na^+	NH_4^+	K^+	Mg^{2+}	Ca^{2+}	F^-	Cl^-	NO_3^-	SO_4^{2-}
9月4日	进水	11.67	<0.01	4.07	16.74	42.32	0.33	16.51	10.56	33.86
	柱1	46.42	63.10	25.70	20.31	46.40	0.33	50.34	<0.01	37.21
	柱2	16.29	34.55	14.12	10.98	33.31	0.70	18.08	<0.01	42.83
	柱3	51.74	51.18	21.91	20.80	55.54	0.40	53.66	<0.01	77.79
9月25日	进水	10.70	ND	3.98	14.68	35.15	0.34	16.71	9.38	34.61
	柱1	12.35	26.89	16.29	16.55	39.93	0.46	17.21	44.78	37.87
	柱2	11.62	20.62	15.18	18.38	35.21	0.44	17.18	14.68	43.66
	柱3	16.48	25.39	15.36	13.91	40.14	0.49	17.34	0.00	69.90

注:ND 表示未检出。

第二节 柱内残留污染物的测定 及质量平衡分析

一、试验目的

清水回灌结束后,测定出截留在渗滤介质中的各种污染物的量,然后进行污染物的质量平衡分析,即计算出通过污水进入柱体的污染物的总量,从柱体下端流出的污染物的量,清水回灌时被清水带出柱体的污染物的量和残留在柱体内的污染物的量。通过对比以上各种量之间的关系,来分析大约能有多少比例的污染物可能被带到地下水对其造成污染。

二、试验设计

清水回灌结束后,停止供清水,用真空泵接土柱最下端出水取样口,把柱内的水排空,然后打开土体上的饱水取样孔橡皮塞,自上而下分别在土柱 $0.05\sim0.1$ m、0.1 m、0.2 m、0.4 m、0.6 m 和 1.0 m 处取土样。分别测试砂土含水量、易溶污染物、土中 NH_4—N 的吸附量、土中总铬、总铅和总磷的含量以及土中苯系物的量,每一深度均取两个平行样,取其平均值作为该深度处的污染物的含量。测试方法如下:

(1)砂土含水量:烘干法。

(2)土中易溶污染物:称取砂样 50 g(精确到 0.1 g),放入 500 mL 大口塑料瓶中,加入250 mL 蒸馏水(水土比例为 5∶1),将塑料瓶盖紧后置于水浴振荡机上振荡 30 min,然后用离心机离心,清液存于瓶中用橡皮塞塞紧后备用,分别测试 Cr^{6+}、总磷、NH_4^+、NO_3^-、COD 和 Pb^{2+}。

(3)土中 NH_4—N 的吸附量:测试方法同第三章第一节。

(4)土中苯系物:测试方法同第三章第一节。

(5)土中铅的测定:取土样 0.5 g,HNO_3 + HCl 分解,5% HNO_3 提取、定容。原子吸收火焰光度法测定。

(6)土中铬的测定:取土样 0.1 g,Na_2O_2 + NaOH 熔融,H_2O 提取、过滤,滤液用 H_2SO_4(1:1)酸化。二苯偕肼比色法测定。

(7)土中 P_2O_5 的测定:取土样 0.1 g,HF + H_2SO_4 分解,2% HNO_3 提取、定容、分取。磷钼蓝比色法测定。

其中土中铬、铅和磷的测定由中国地质大学(北京)化学分析室完成。

三、试验结果及讨论

(一)土中易溶污染物

首先解释一下所测得的土中易溶污染物的来源。在清水回灌土柱 50 多天后,土柱中一些物理吸附较弱的和一些机械截留的污染物质随清水被带出土柱。现在取土样和蒸馏水混合振荡后,所测得清液中的可溶污染物也主要有这样两个来源:一是一些易溶污染组分原来存在于柱体内一些相对封闭的、相互之间不连通的介质孔隙中,现从土柱中取出使之得以释放;另外一些是物理吸附作用相对较强,原来清水通过土柱时未能被带出,现在较强的外力振荡作用下,这些可溶污染物能够解吸进入水中。

从表 4-4 看出土中 COD 的含量随深度变化规律性不明显,柱 1 的 COD 含量为 22~73 $\mu g/g$,柱 2 为 15~60 $\mu g/g$,柱 3 为 26~108 $\mu g/g$。土中残留的 COD 应主要是悬浮性 COD,它通过机械过滤而截留于土中。

总磷含量随深度增加而减少。在 0.1 m 处总磷的含量最大,柱 1 为 1.423 $\mu g/g$,柱 2 为 2.016 $\mu g/g$,柱 3 为 1.897 $\mu g/g$;而在 1.0 m 处总磷的含量最小,柱 1 为 0.637 $\mu g/g$,柱 2 为 0.205 $\mu g/g$,

表 4-4　土中易溶污染物含量　　（单位：μg/g）

土柱名称	土层深度(m)	COD	TP	NH_4-N	NO_3-N	Cr^{6+}
柱1	0.05～0.1	73.493	0.692	4.678	4.983	0.137
	0.1	36.125	1.423	3.803	1.252	0.161
	0.2	—	0.977	2.701	1.073	0.092
	0.4	—	0.868	3.708	1.025	0.098
	0.6	21.888	0.914	6.088	1.112	0.156
	1.0	58.319	0.637	6.855	1.107	0.086
柱2	0.05～0.1	39.775	1.613	2.296	1.933	0.145
	0.1	48.039	2.016	3.407	1.410	0.146
	0.2	—	1.597	3.279	1.177	0.158
	0.4	20.027	1.508	4.046	1.453	0.124
	0.6	14.543	0.759	3.112	1.430	0.103
	1.0	59.937	0.205	5.705	1.713	0.077
柱3	0.05～0.1	63.996	0.578	2.166	1.527	0.023
	0.1	80.400	1.897	1.396	0.542	0.028
	0.2	81.571	1.211	2.110	0.476	0.125
	0.4	65.640	1.131	11.133	0.844	0.241
	0.6	108.051	0.501	10.305	0.554	0.172
	1.0	25.753	0.058	12.272	1.237	0.336

注：Pb^{2+} 未检出。

柱 3 为 0.058 μg/g。这个变化规律和第二章中总磷去除率随深度增加而增大的结论相吻合,深度越大,出水的总磷去除率越高,总磷浓度越小,则残留于土中的总磷含量相应的越小。

NO_3—N 在 $0.05 \sim 0.1$ m 处含量最大,如柱 1 为 4.983 $\mu g/g$,是 0.1 m 以下深度 NO_3—N 含量的 4 倍多;柱 2 为 1.933 $\mu g/g$,略大于其他深度的含量;柱 3 为 1.527 $\mu g/g$,是 0.1 m 以下深度 NO_3—N 含量的 $1 \sim 3$ 倍。而 NH_4—N 则一般在 0.6 m 和 1.0 m 处最大,如在 1.0 m 处柱 1 的含量为 6.855 $\mu g/g$,柱 2 为 5.705 $\mu g/g$,均比各柱在 0.6 m 以上深度的 NH_4—N 含量大 $1 \sim 2$ 倍多;柱 3 在 1.0 m 的含量为 12.272 $\mu g/g$,0.6 m 处为 10.305 $\mu g/g$,0.4 m 处为 11.133 $\mu g/g$,比 0.4 m 以上深度的 NH_4—N 含量大 5 ~ 10 倍。这主要是因为土柱表层氧量充沛,越往深处氧的含量越少,所以 N 在土柱表层和深部有不同的存在形态。

$Cr(VI)$ 随深度变化的规律性也较差,三柱含量:柱 1 为 $0.086 \sim 0.161$ $\mu g/g$,柱 2 为 $0.077 \sim 0.158$ $\mu g/g$,柱 3 为 $0.023 \sim 0.336$ $\mu g/g$。Pb^{2+} 未检出,再次证明 Pb^{2+} 的吸附作用很强,清水回灌时没有被带出,在较强的外力振荡作用下依然没有解吸发生。

土中 NH_4—N 的吸附量随深度的变化也有同样的规律(见表 4-5),即除了柱 3 在 0.4 m 处异常高外,各柱均在 1.0 m 处吸附量最大。并且 NH_4—N 的吸附量远远大于通过和蒸馏水混合振荡所得到的 NH_4—N(见图 4-4),这就说明 NH_4^+ 在土壤中的吸附作用比较强,必须通过阳离子交换作用才能解吸出来。

虽然排污河由于有底泥的存在,NH_4—N 不容易进入地下水,但是 NH_4—N 在底泥下部的渗透介质中也多有吸附。从第三章凉水河土样分析的数据看,凉 1 在 0.6 m 深度处 NH_4—N 的吸附量为 20.78 $\mu g/g$,凉 2 在 0.8 m 处为 42.75 $\mu g/g$,1.0 m 处为 36.37 $\mu g/g$,随深度吸附量有增加的趋势。室内由于形成的底泥很少,土柱中 NH_4—N 的吸附量比较大(见表 4-5),柱 1 最大为

1.0 m深度处的 30.66 $\mu g/g$,柱 2 为 1.0 m 处的 23.19 $\mu g/g$,柱 3 为 0.4m 处的 49.90 $\mu g/g$,1.0 m 处为 35.40 $\mu g/g$,室内和野外在 1.0 m范围内 NH_4-N 的吸附量相差不多,但是野外河床下部渗透介质的厚度要远远大于室内,其总的 NH_4-N 吸附量也要远远大于室内。室内在这样的吸附状况下,清水回灌仅 51 天也有相当数量的 NH_4-N 解吸进入地下水,由此可以推断出将来如果对凉水河进行清淤、清水回灌,那么灌入河道的清水势必会把河床下部渗透介质中的 NH_4-N 带入到地下水中,从而造成对地下水的污染。

表 4-5　土中 NH_4-N 的吸附含量　　（单位:$\mu g/g$）

土层深度 (m)	柱 1	柱 2	柱 3
0.05~0.1	20.33	14.76	10.48
0.1	15.37	16.39	11.53
0.2	17.13	15.77	12.12
0.4	23.52	13.91	49.90
0.6	23.29	14.99	27.91
1.0	30.66	23.19	35.40

(二)土中总铅、总铬和总磷

土中总铅、总铬和总磷的含义为污水灌入试验和清水回灌试验结束后,取出土柱内不同深度的土样做相应的化学分析所得到的土中铅、铬和磷的含量(见表 4-6)。它由两部分组成,一部分为试验开始前砂土原样中铅、铬和磷的含量,另一部分为由于污水带入而残留于柱内的铅、铬和磷的含量。

表 4-6 土中总铅、总铬和总磷含量

土柱名称	土柱深度 (m)	Pb 含量 (μg/g)	Pb 平均值 (μg/g)	Cr 含量 (μg/g)	Cr 平均值 (μg/g)	P 含量 (μg/g)	P 平均值 (μg/g)
柱1	0.05~0.1	278	300	1 200	1 300	610	590
		322		1 400		570	
	0.1	151	162	890	820	610	610
		172		750		610	
	0.2	96	93	440	555	570	570
		89		670		570	
	0.4	65	65	440	440	570	570
	0.6	58	58	450	450	520	520
	1.0	58	58	340	340	610	610
柱2	0.05~0.1	149	166	890	890	570	570
		184		890		570	
	0.1	66	54	660	575	520	545
		42		490		570	
	0.2	41	38	410	525	520	545
		35		640		570	
	0.4	33	33	420	420	520	520
	0.6	34	34	470	470	520	520
	1.0	35	35	470	470	480	480
柱3	0.05~0.1	196	219	820	1260	610	610
		242		1700		610	
	0.1	50	46	530	605	610	590
		41		680		570	
	0.2	36	37	500	475	610	565
		38		450		520	
	0.4	37	37	530	530	610	610
	0.6	41	41	520	520	520	520
	1.0	43	43	750	750	520	520

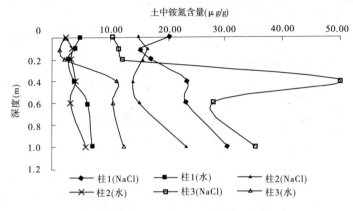

图 4-4　土中铵氮含量随深度变化对比曲线

总铅含量随深度增加而逐渐减少(见图 4-5),土柱表层 0.05
~0.1 m 范围内总铅含量最大,是下部土层最小含量的 5 倍左右。
如柱 1 在 0.05~0.1 m 处的总铅含量为 300 μg/g,1.0 m 处最小
为 58 μg/g;柱 2 在 0.05~0.1 m 处的总铅含量为 166 μg/g,0.4 m
处最小为 33 μg/g,1.0 m 处为 35 μg/g;柱 3 在 0.05~0.1 m 处的
总铅含量为 219 μg/g,0.4m 处最小为 37 μg/g,1.0 m 处为 43 μg/g。
这和第二章有关铅的结论一致,即铅大部分被截留在土壤表层
0.2 m范围内。在各深度处基本上都是柱 1>柱 3>柱 2。

除柱 3 在 0.6 m 和 1.0 m 异常高外,总铬含量基本上随深度增加
而逐渐减少(见图 4-5)。柱 1,0.05~0.1 m 的总铬含量为 1 300 μg/g,
1.0 m 处最小为 340 μg/g,最大含量是最小含量的近 4 倍;柱 2,0.05
~0.1 m 的总铬含量为 890 μg/g,0.4 m 处最小为 420 μg/g,
1.0 m处为 470 μg/g,最大含量是最小含量的 2 倍多;柱 3,0.05~
0.1 m 的总铬含量为 1 260 μg/g,0.4 m 处最小为 475 μg/g,0.6 m
处为 1 200 μg/g,1.0 m 处为 750 μg/g,最大含量是最小含量的
2.6 倍。

土中总磷含量在各深度处变化不大。柱 1,0.6 m 处总磷含量

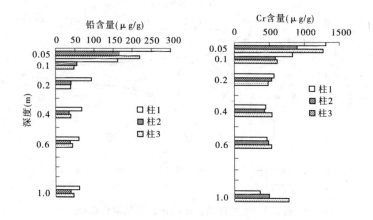

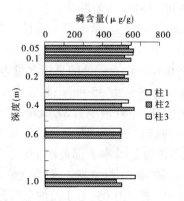

图 4-5　土中总铅、总铬和总磷含量随深度变化

最小为 520 $\mu g/g$,0. 1 m 和1. 0 m 处最大为 610 $\mu g/g$;柱 2,1. 0 m 处最小为 480 $\mu g/g$,0. 05~0. 1 m 处最大为 570 $\mu g/g$;柱 3,0. 6 m 和1. 0 m处最小为 520 $\mu g/g$,0. 05~0. 1 m 和 0. 4 m 处最大为 610 $\mu g/g$。

(三)土中残留有机物

土中残留苯系物的变化规律(见表 4-7):除苯外,其余 5 种苯系物在各柱均有不同程度检出。柱 1 表层 0.05~0.1 m 范围内苯系物含量异常高,比其下部苯系物含量高 1 到 2 个数量级,这个结果有其合理的一面,即经过 200 多天的污水灌入,污水中的细颗粒悬浮物在柱 1 土体上部逐渐沉积、积累,加大了对进入柱体苯系物的截留、吸附等作用,使得土中苯系物含量偏高。但同时也不排除试验中由于人为因素而造成的误差。在土体上部 0.2 m 范围内,甲苯的含量比其下部土体偏高,其余几种苯系物的含量在不同深度相差不是太大,大部分在土柱上部 0.2 m 范围内略大些。

土中残留氯代烃中只检出了三氯乙烯和四氯乙烯(见表 4-8)。四氯乙烯只在试验第一周加入两次,共计 300 mL。经过了200 多天的污水灌入和 50 多天的清水回灌后,四氯乙烯在土柱内部仍有残存。说明相对于 $3.14 \times 7.5^2 \times 120 \times 3 \div 1\,000 = 63.585 (\mathrm{L})$ 的砂土,一次 300 mL 的四氯乙烯污染,其影响是长久和深远的,是不易彻底清除的。

四、污染物质量平衡分析

表 4-9 和表 4-10 分别列出了常规污染组分和苯系物的质量平衡情况。表中的污染物质量平衡相包括污水带入总量、污水带出总量、清水带出总量、柱内残留总量理论计算值和柱内残留总量实测值这样 5 项。每一项的计算方法如下所述。

(一)污水带入总量

首先,将整个污水灌入试验过程按照取样间隔分成若干个时段,取前后两个时段进水浓度的平均值作为该时段的平均进水浓度,乘以该时段的流量,计算出该时段随污水带入柱内的污染物量,然后把每个时段的污染物量进行迭加,最终得出随污水带入柱内的污染物总量。

表 4-7 土中残留苯系物含量　　　（单位:ng/g）

土柱名称	土柱深度（m）	苯	甲苯	乙苯	间对二甲苯	邻二甲苯	异丙苯
柱 1	0.05～0.1	ND	10.43	615.95	251.08	2 224.32	195.55
	0.1	ND	62.16	13.56	3.38	13.61	10.87
	0.2	ND	105.52	10.27	5.58	13.14	15.08
	0.4	ND	33.86	6.14	2.46	10.22	6.51
	0.6	ND	88.48	9.12	9.84	11.93	8.87
	1.0	ND	17.63	5.88	4.30	9.41	16.47
柱 2	0.05～0.1	ND	22.31	19.96	5.41	18.41	17.73
	0.1	ND	46.55	9.15	5.13	14.34	18.14
	0.2	ND	22.09	8.76	3.59	15.85	ND
	0.4	ND	23.62	15.44	3.32	11.15	8.47
	0.6	ND	7.96	18.37	6.42	19.35	7.51
	1.0	ND	33.96	ND	ND	ND	ND
柱 3	0.05～0.1	ND	8.48	6.97	1.95	9.53	7.27
	0.1	ND	54.98	11.98	12.39	15.15	11.21
	0.2	ND	45.20	25.26	6.85	30.23	14.59
	0.4	ND	15.05	18.77	5.02	10.73	12.56
	0.6	ND	13.66	6.03	4.97	6.72	5.28
	1.0	ND	18.97	9.74	2.73	13.38	10.38

注:ND 表示未检出。

表 4-8　土中残留氯代烃含量　　　（单位：ng/g）

氯代烃名称	土层深度(m)	柱1	柱2	柱3
三氯乙烯	0.05~0.1	ND	ND	ND
	0.1	ND	17.00	ND
	0.2	ND	13.99	ND
	0.4	ND	21.88	27.80
	0.6	15.58	ND	23.59
	1.0	1.71	ND	13.23
四氯乙烯	0.05~0.1	ND	47.89	ND
	0.1	ND	38.97	ND
	0.2	ND	29.24	2.03
	0.4	ND	82.91	20.04
	0.6	14.19	50.27	16.84
	1.0	33.25	35.05	13.62

注：ND 表示未检出。

（二）污水带出总量

将试验分成和上述（一）相同的若干时段，取每一时段末的出水浓度乘以该时段的流量，计算出该时段随污水带出土柱的污染物量，然后把每个时段的污水带出量迭加，得到随污水带出土柱的污染物总量。

（三）清水带出总量

将清水回灌试验按照取样间隔分成若干时段，取每一时段末的清水回灌出水浓度乘以该时段的回灌流量，计算出该时段随清水带出土柱的污染物量，然后把每个时段的清水带出量迭加，得到随清水带出土柱的污染物总量。

表 4-9　常规污染组分质量平衡　　（单位:g）

土柱名称	污染组分名称	污水带入总量	污水带出总量	清水带出总量	柱内残留总量理论计算值	柱内残留总量实测值
柱 1	COD	152.659 0	109.420 0	1.094 1		
	TP	3.659 0	2.214 0	0.002 3	1.442 7	0.460 2
	NH$_4$—N	29.051 0	25.663 0	1.710 1	1.677 9	0.862 0
	NO$_3$—N	8.332 0	8.886 0	0.015 3		
	Cr	3.541 0	2.762 0	0.000 4	0.778 6	1.481 0
	Pb	2.667 0	1.082 0	0	1.585 0	1.689 1
柱 2	COD	30.977 0	7.501 0	0.794 1		
	TP	0.766 0	0.020 0	0.001 6	0.744 4	0.377 1
	NH$_4$—N	7.015 0	3.722 0	1.413 3	1.879 7	0.594 5
	NO$_3$—N	1.526 0	1.132 0	0.163 4		
	Cr	0.599 0	0.248 0	0.000 3	0.350 7	0.969 9
	Pb	0.514 0	0.002 0	0	0.512 0	0.224 3
柱 3	COD	27.670 0	7.489 0	1.338 4		
	TP	0.681 0	0.013 0	0.002 8	0.665 2	2.442 4
	NH$_4$—N	6.090 0	2.894 0	1.447 3	1.748 7	1.035 5
	NO$_3$—N	1.372 0	0.507 0	0.012 2		
	Cr	0.546 0	0.091 0	0.000 1	0.454 9	7.990 9
	Pb	0.410 0	0.001 0	0	0.409 0	0.415 2

表 4-10　苯系物质量平衡　　　　　　（单位:mg）

土柱名称	质量平衡相	苯	甲苯	乙苯	间对二甲苯	邻二甲苯	异丙苯
柱 1	污水带入总量	629.82	1 125.46	173.50	842.25	660.26	38.20
	污水带出总量	545.74	1 033.29	98.33	664.00	575.32	15.21
	清水带出总量	1.81	1.35	7.35	0.44	1.88	1.15
	柱内残留计算值	82.26	90.82	67.81	177.81	83.06	21.84
	柱内残留实测值	0	1.47	2.01	0.88	6.74	0.96
柱 2	污水带入总量	89.71	105.24	15.32	107.56	99.12	5.47
	污水带出总量	18.55	25.09	1.74	7.67	5.51	0.05
	清水带出总量	1.08	1.35	2.17	0.93	0.96	1.42
	柱内残留计算值	70.08	78.80	11.41	98.97	92.65	4.00
	柱内残留实测值	0	0.87	0.28	0.09	0.30	0.18
柱 3	污水带入总量	83.16	109.33	14.45	92.50	83.91	4.53
	污水带出总量	25.34	34.84	1.41	13.79	11.22	0.25
	清水带出总量	0.97	2.27	2.21	1.64	2.23	1.54
	柱内残留计算值	56.86	72.23	10.83	77.07	70.46	2.74
	柱内残留实测值	0	0.74	0.40	0.16	0.44	0.34

(四)柱内残留总量理论计算值

柱内残留总量理论计算值=污水带入总量－污水带出总量－清水带出总量。

(五)柱内残留总量实测值

在前面的试验中已经测得了土柱内不同深度:0.05～0.1 m、0.1 m、0.2 m、0.4 m、0.6 m 和 1.0 m 处污染物的含量,将整个土柱按此深度划分为 6 层:0～0.1 m、0.1～0.2 m、0.2～0.3 m、0.3～0.5 m、0.5～0.7 m 和 0.7～1.2 m,将测得的每一深度处污染物含量的平均值作为相应土层中污染物的平均含量。已知每个土柱的柱内总装土重量,假设砂土分布均匀,可以计算出每一层土的重量,然后乘以该层土内污染物平均含量,算出该层土内污染物总含量,最后将 6 层土内污染物含量累积迭加,得到柱内总的污染物残留量。

柱内残留总磷、总铬和总铅的量是这样得到的:用前面测得的土中总磷、总铬和总铅的量,减去装柱前砂土原样中的对应污染物含量,得到不同深度由于污水带入而残留于土柱内的污染物含量,再按照上面的计算方法进行计算。需要说明一下表 4-9 和表 4-10 中数据的精度问题。由于污水进出水浓度是时刻变化的,而在质量平衡相的前三项计算中,进水浓度采用的是前后两个时段进水浓度的平均值,出水浓度采用某一时段末的出水浓度,用此方法计算出来的污水带入总量、污水和清水带出总量虽然还存在一定的误差,但对于每一种污染组分和每一个时段都采用了相同的计算方法,可以消除系统误差的影响,因此总体上反映了污染物总量变化的大致情况。由表 4-9 可以看出,柱内残留污染物总量的计算值和实测值相差比较大,这一现象的出现也合情合理。主要原因是砂土在土柱内部分布是不均匀的,污染物质进入土柱后分布也是不均匀的,由于科研经费所限,在土柱上面三个深度取土样时分别取了两个平行样,而下面三个深度处每一深度分别只取了一个土样,因此这样得到的测试结果并不能够完全真实地代表土柱内污染物的含量,存在一定的误差。比如,柱 3 在 0.6 m 处 Cr 的含量为 1 200 $\mu g/g$,这一数值比柱 1(450 $\mu g/g$)和柱 2(470 $\mu g/g$)在相应深度的含量高很多,按照上面的计算方法得到的柱 3 柱内残留 Cr 总量为 7.990 9 g,远远大于理论计算值 0.454 9 g。尽管如此,仍然能够从现有的这几个污染物质量平衡相中看出污染物的大体去向,下面就依次进行分析。

表 4-11 给出了常规污染组分的分配比例,其中污水带出(%)=污水带出总量/污水带入总量×100,柱内残留计算值(%)=柱内残留总量计算值/污水带入总量×100,清水带出(%)=清水带出总量/(污水带入总量－污水带出总量)×100。污水带出百分比说明各种污染物整体被带出的比例,而清水带出百分比则说明清水入渗时各种污染物被清水带出的难易程度,也说明了它们在砂土中的存在形式和被去除的机理。实际上,污染物的质量平衡分析是对前面室内试验结果的归纳、总结和深化,是从整体上、宏观上来把握污染物在水(包括污水和清水)和土之间的分布、迁移和转化。

综合表 4-9 和表 4-11 首先分析 NH_4—N 的分配比例。NH_4—N 的柱内残留总量实测值均小于其理论计算值,原因是输入的总的 NH_4—N,除了污水带出、清水带出和柱内吸附外,还有一部分在试验初期发生硝化反应转化成了 NO_3-N。NH_4—N 的污水带入总量,柱 1(29 g)大于柱 2(7 g)大于柱 3(6 g),从分配比例来看,柱 1 被污水带出为 88%,远大于柱 2(53%)和柱 3(47%),由室内试验可知,污水带出量的绝大部分均发生在渗透介质被 NH_4—N 穿透以后,即柱 1 在试验的第 17 天以后,柱 2 和柱 3 在试验的中后期。清水带出为柱 1(50%)>柱 3(45%)>柱 2(43%),这就验证了室内试验的结论:长期排污河中的 NH_4—N 能够穿过中砂及很容易

表 4-11　常规污染组分分配比例

土柱名称	污染组分名称	污水带出（%）	清水带出（%）	柱内残留计算值（%）
柱 1	COD	71.68	2.53	
	TP	60.51	0.16	39.43
	NH_4—N	88.34	50.48	5.78
	NO_3—N	106.65	−2.76	
	Cr	78.00	0.05	21.99
	Pb	40.57	0	59.43
柱 2	COD	24.21	3.38	
	TP	2.61	0.21	97.18
	NH_4—N	53.06	42.92	26.80
	NO_3—N	74.18	41.47	
	Cr	41.40	0.09	58.55
	Pb	0.39	0	99.61
柱 3	COD	27.07	6.63	
	TP	1.91	0.41	97.68
	NH_4—N	47.52	45.28	28.71
	NO_3—N	36.95	1.42	
	Cr	16.67	0.01	83.32
	Pb	0.24	0	99.76

穿过粗砂进入地下水，NH_4—N 在介质表面的阳离子吸附作用较弱，清水回灌能把渗透介质（包括中砂和粗砂）中约 50% 的 NH_4—N 带到地下水中造成地下水的污染。

NO_3—N，柱 1 的污水带出量（8.88 g）大于其污水带入量（8.33 g），这是由于部分 NH_4—N 在试验前期土柱内为好氧环境时转化成了 NO_3—N。柱 2 和柱 3 的污水带出比例分别为 74.18% 和 36.95%，说明在 1.2 m 的渗透介质中 NO_3—N 能有一部分被带出，并且大部分是在试验前期被带出的，因为后期主要发生反硝化作用，NO_3—N 的出水浓度很小。NO_3—N 的清水带出比例柱 1 为 −2.76%、柱 2 为 41.47%、柱 3 为 1.42%，其中柱 1 为负值，这主要是计算方法所致，实际上柱 1 为 NO_3—N 清水带出量为 0.015 3 g。NO_3—N 除了污水带出和清水带出外，有部分发生反硝化反应变成气态氮逸失掉了。

COD，柱 1 的总输入量为 153 g，远大于柱 2（30 g）和柱 3（27 g），污水带出的比例柱 1（71%）大于柱 2（24%）和柱 3（27%），并且也是试验前期带出的量大于后期。清水带出比例柱 1 为 2.53%、柱 2 为 3.38%、柱 3 为 6.63%。说明中砂对 COD 的去除效果好于粗砂，清水回灌能把一定量的 COD 带到地下水中，但此量不大。

总磷，柱 1 的总输入量为 3.66 g，大于柱 2（0.77 g）和柱 3（0.68 g），污水带出的比例柱 1（60%）远大于柱 2（2.6%）和柱 3（1.9%），清水带出比例各柱均很小，不超过 0.5%，柱 2 和柱 3 都有 97% 左右的 TP 生成沉淀或被吸附而残留于土柱内部，这就在室内试验的基础上更进一步说明 TP 不易穿过中砂进入地下水，而且清水回灌只有很少的磷被清水带出，说明磷的沉淀比较稳定，吸附作用比较牢固。

Cr,柱 1 的总输入量为 3. 54 g,大于柱 2(0. 60 g)和柱 3(0. 55 g),清水带出比例各柱均不超过 0. 1%,污水带出的比例柱 1(78%)大于柱 2(41%)和柱 3(16%),从前面的试验结果来看,被污水带出的 Cr 大部分是在试验前期(第 60~70 天以前)被污水带出柱外的,因为后期出水中 Cr 的浓度很小。清水回灌所能带出的 Cr 非常有限,原因是 Cr 大部分生成沉淀,少部分被吸附,所以很难被带出。

Pb,柱 1 的总输入量为 2. 67 g,大于柱 2(0. 51 g)和柱 3(0. 41 g),污水带出的比例柱 1(40%)大于柱 2(0. 39%)和柱 3(0. 24%),各柱清水带出比例均为 0,说明清水不会把 Pb 带到地下水中。Pb 经过中砂时绝大部分(99%)被吸附和生成沉淀而残留于土壤中,少部分可以穿过粗砂进入地下水,再次从总量上验证了前面的试验结论。

表 4-12 给出了苯系物在污水、清水及土柱中的分配比例,即污水带出、柱内残留、吸附和生物降解的污染物的量分别占污水带入总量的百分比,清水带出百分比含义同表 4-11 中常规污染组分。表 4-10 中苯系物的柱内残留实测值都比其相应的理论计算值小很多,其差值认为是污水中的苯系物在通过土柱时被渗滤介质所吸附和生物降解而消耗掉的部分。由于污水在粗砂中渗透流速快、流量大,所以污水带入柱 1 的苯系物远远大于柱 2 和柱 3,随污水带出柱 1 的苯系物也远远大于柱 2 和柱 3。从表 4-12 中可以看出,中砂对苯系物的去除效果(污水带出量少、吸附和生物降解的多)明显好于粗砂,并且柱 2 略好于柱 3。清水带出比例,柱 3>柱 2>柱 1,可见,不管是粗砂还是中砂,清水回灌会把其中的部分苯系物带入地下水中,如乙苯和异丙苯清水带出的比例就比较大。

表 4-12　苯系物分配比例　　　　　　　（W_B/%）

土柱名称	质量平衡相	苯	甲苯	乙苯	间对二甲苯	邻二甲苯	异丙苯
柱 1	污水带出	86.65	91.81	56.68	78.84	87.14	39.82
	清水带出	2.15	1.47	9.78	0.25	2.21	5.00
	柱内残留实测值	0	0.13	1.16	0.10	1.02	2.52
	吸附和生物降解	13.06	7.94	37.93	21.01	11.56	54.65
柱 2	污水带出	20.67	23.84	11.35	7.13	5.56	0.92
	清水带出	1.52	1.68	15.96	0.93	1.03	26.18
	柱内残留实测值	0	0.83	1.85	0.09	0.30	3.35
	吸附和生物降解	78.12	74.05	72.66	91.92	93.18	69.80
柱 3	污水带出	30.47	31.87	9.75	14.91	13.37	5.53
	清水带出	1.67	3.04	16.94	2.08	3.07	35.98
	柱内残留实测值	0	0.67	2.78	0.17	0.53	7.54
	吸附和生物降解	68.37	65.39	72.17	83.16	83.44	52.95

小　结

（1）长期排污河清淤、灌入清水后,清水在排污河下部渗透介质中的渗流速度明显高于回灌前,有利于污染物的下渗。

　　(2)清水回灌会很明显的把排污河下部渗透介质中的 COD、NH_4^+ 带到地下水中。本试验模拟了厚度仅为 1.2 m 的土层经过了排污河 200 多天的渗透,然后清水回灌。而实际的排污河一般接纳污水的历史都很长,如凉水河就有四五十年的纳污历史,河床下部的渗透介质厚度也很大,从十几米到几十米不等,无论从时间尺度还是从空间尺度上来说,都远远大于本试验所模拟的情况。那么在河床下部渗透介质中所截留的 COD 和 NH_4^+ 的量也比本试验中的土柱多,在清水回灌后,它们会在很长时间内随清水带入到地下水中,造成对地下水的污染。

　　(3)清水回灌仅会把河床下部渗透介质中少量的 Cr(Ⅵ)和总磷带到地下水中,Pb^{2+} 一般不会被带到地下水中。

　　(4)清水回灌会把残留于渗透介质中的苯系物少量地带入到地下水中,成为地下水有机污染的一个来源,应该给予高度重视。

　　(5)清水回灌还能把渗透介质中的易溶盐带到地下水中,如浓度高时,可能会改变地下水的化学成分,影响其水质状况。

　　(6)通过污染物质量平衡分析再次从宏观上、整体上验证了室内试验的结论,用污染物总量的概念讨论了各种污染物质在污水、清水和渗滤介质之间的分布、迁移和转化,为回答长期排污河对地下水的影响这一问题提供了科学依据。应该注意的是在质量平衡分析中,有多种污染物都有一定的污水带出总量,如 TP、Cr(Ⅵ)和 $NO_3—N$ 等,由第二章的分析可知,在污水带出总量中,试验早期的污水带出量占据了很大的比例,而试验后期和实际排污河的真实情况更加接近,所以应该加强对试验后期各种污染物迁移转化的研究,才能更好地完成排污河对地下水影响的研究课题。

第五章　结论和建议

一、结论

本书根据世界范围内河流污染以及我国北方河流和地下水污染严重的现状,结合国家重点基础研究发展规划项目(G1999045706)及国家自然科学基金项目(49832005),选择了长期排污河对地下水的影响为主要研究方向,通过室内和野外试验系统研究了排污河中的特征污染组分、重金属及有机物等在不同的渗透介质和不同的深度下对地下水的影响,并且就其污染机理进行了深入的探讨,同时,对排污河还清后河床中残留污染物对地下水的影响进行了分析论证。通过对研究结果的分析讨论,得出如下结论:

(1)室内污水灌入试验表明,就不同的渗透介质而言,中砂对排污河中污染物的去除效果明显好于粗砂。一般来说,随渗透介质深度的增加污染物的去除率增加。总磷在中砂中的去除率始终大于92%以上,在排污河形成的早期总磷在粗砂中会产生穿透,但随着时间的推移,排污河中的磷最终能进入地下水的量很少。室内试验表明铵氮很容易在渗透介质中迁移,对地下水造成污染,所不同的只是铵氮在粗砂和中砂中达到吸附饱和时所需的时间不同。硝酸盐氮大多数(70%以上)通过在渗透介质中的反硝化作用得以去除。如果进水 COD 浓度比较高,COD 也能有一部分穿过渗透介质进入地下水中,尤其是粗砂。

(2)粗砂中 Cr(Ⅵ)在较短的时间内产生穿透,随着时间的推移,铬很难进入地下水;在中砂中,铬更不易进入地下水。铅在粗砂中短时间内会对地下水造成一定的污染,而在中砂中则基本上都被截留于介质上部 0.2 m 范围内,不会造成对地下水的污染。有少量苯系物可能穿过粗砂进入地下水对其造成污染。

(3)磷的去除机理主要是被粘土矿物所吸附,及与渗透介质颗粒表面氧化膜和氢氧化膜中的铁、铝、钙、镁等相结合产生沉淀。由于吸附作用受到渗透介质中吸附剂的种类和数量的限制,在很短的时间内会达到吸附饱和,所以沉淀反应是排污河中磷的最重要的去除机理。COD 则主要通过厌氧生物降解得以去除。铅的去除机理主要是不可逆的化学吸附和生成沉淀。苯系物的去除是挥发、吸附和生物降解共同作用的结果,其中厌氧条件下的微生物降解是其最重要的去除机理。

(4)Cr(Ⅵ)可以被渗透介质中的铁、锰、铝的氧化物和粘土矿物所吸附,同时可以被还原成 $Cr(OH)_3$ 或 $(Cr,Fe)(OH)_3$ 沉淀而得以去除。由于吸附会很快达到饱和,还原和沉淀反应是 Cr(Ⅵ)去除的主要机理。尽管地下水的铬污染十分普遍,但是由于长期排污河下部渗透介质始终处于厌氧环境,其中富含还原性物质,Cr(Ⅵ)可以通过沉淀反应大部分得以去除,所以排污河不是地下水铬污染的来源。

(5)NO_3—N 的去除主要通过反硝化作用,铵氮的去除主要依靠吸附作用和硝化作用,但吸附会很快达到饱和,而硝化作用只发生在排污河形成早期很短的时间内,所以氮去除的最主要机制是在微生物作用下的反硝化反应,这是排污河氮转化的最主要的特点。

(6)野外抽水的试验结果表明:凉水河对地下水存在着污染,污染组分主要是是 COD,NH_4—N 也有一些影响,但不如室内影响大,原因是底泥、河床下部渗透介质的厚度和岩性以及河水渗漏量的影响。其他无机污染组分 NO_3—N、Cr^{6+}、总磷和 Pb^{2+} 对地下水的影响较小,氯代烃也对地下水有一定的影响。凉水河对地下水的影响范围不超过河两侧 80 m。

(7)清水回灌试验表明,排污河清淤、灌入清水后,会很明显地把排污河下部渗透介质中的 COD 和 NH_4-N 带到地下水中。实际的排污河无论从纳污历史,还是从河床下部的渗透介质厚度来说,都远远大于室内试验模拟的情况,那么在清水回灌后,介质中所截留的 COD 和 NH_4-N 会在很长时间内随清水被带入到地下水中,造成地下水的二次污染。清水回灌仅会把少量的 Cr^{6+}、总磷和苯系物带到地下水中,Pb^{2+} 一般不会被带到地下水中。

(8)通过污染物质量平衡分析再次从宏观上、整体上验证了室内试验的结论,用污染物总量的概念讨论了各种污染物质在水、土之间的分布、迁移和转化。

(9)通过室内和野外试验得知,排污河确实对地下水存在污染(如 COD)。但由室内试验看出排污河对地下水的污染主要发生在排污河形成早期很短的时间内,随着时间的延长,河流底泥不断增加,河水渗漏量不断减少,再加上河床下部渗透介质的厚度较大、颗粒较细,所以排污河直接对地下水造成的污染较小。

(10)鉴于清水回灌试验的结果,在实际治理排污河的工作中,应适当采取必要措施,防止河床下部渗透介质中残留的污染物进入地下水,对地下水造成二次污染,如适当保留一定厚度的河底淤泥,控制回灌水中 Ca^{2+}、Mg^{2+} 浓度,以防止 Ca^{2+}、Mg^{2+} 进入渗透介质和土中吸附的 NH_4^+ 发生阳离子交换反应,使得 NH_4^+ 解吸进入地下水,造成地下水的铵氮污染。

二、建议

本书通过大量的室内和野外试验研究,得出了一些结论。但受时间、条件和作者水平所限,某些方面的研究还不够深入,还存在不少问题有待进一步解决。为此,作者提出以下建议供读者参考:

(1)本次室内模拟柱试验所选用的三种介质中,两种中砂性质接近,建议在今后的研究中能够对细砂、粉土或颗粒更细的介质进行研究,这样得到的结果将更加全面和完整。

(2)本次清水回灌试验仅持续 51 天,建议今后能够延长清水回灌时间,这样可以对介质中残留污染物对地下水的影响做更深入的研究,尤其是影响较大的 COD 和 NH_4—N。

(3)由于室内试验所形成的底泥很少,野外试验也仅对河边两个洛阳铲孔中的底泥做了铵氮和磷的解吸试验,而底泥在排污河污染物的去除中发挥了巨大的作用,建议对底泥加强进一步的研究,探讨底泥对其他污染物的去除所发挥的作用。

(4)本次野外试验主要做了抽水试验,是从垂直于河流的横向上进行研究的,建议沿河流纵向在其上、中、下游不同地段,以及在河流两侧一定范围内进行深入研究,以更好地回答排污河对地下水影响的范围和程度等问题。

参 考 文 献

[1] 刘鸿志,卢雪云. 中外河流水污染治理比较. 世界环境,2001,
4:27～30

[2] Julie Stauffer. 水危机——寻找解决淡水污染的方案. 北京:
科学出版社,2000

[3] 1999 年通州区环境监测报告. 通州区水利局,1999

[4] K. Kayabali , M. Celik, H. Karatosun. The influence of a
heavily polluted urban river on the adjacent aquifer systems.
Environmental Geology,1999,38(3):233～243

[5] 吴耀国,李云峰,王惠民,等. 污染河流对沿岸土壤和地下水化
学环境的影响——以徐州奎河为例. 西安工程学院学报,
2001,23(2):59～62

[6] Canter L. W. ,Knox R. C. Septic tank system effect on ground-
water quality. Lewis Publisher Inc. , Michigan, 1985

[7] Brandes M. Effect of precipitation and evapotranspiration of a
septic tank－sand filter disposal system. Water Pollut. Control
Fed. ,1980, 52(1), 59

[8] R B Reneau Jr, et al. Fate and transport of biological and inor-
ganic contaminants from on－site disposal of domestic
wastewater. Environ. Qual. , 1989,18,135～144

[9] Richardson C. J. Mechanism controlling phosphorus retention
capacity in freshwater wetlands. Science, 1985, 228, 1424～
1427

[10] Richardson C,et al. Natural and artificial wetland ecosystem:
Ecological opportunities and limitation. In: Aquatic Plants for
Water Treatment and resource Recovery,K. R. Reddy, W. H.

Smith, Magnolia Publishing Inc. ,1987,819~854

[11] Faulkner SP, et al. Physical and chemical characteristics of freshwater wetland. In: Constructed wetlands for Wastewater Treatment. D. A. Hammer, Lewis Publishers, Michigan , 1989,41~72

[12] Mann R A. Phosphorus removal by constructed wetland: substratum adsorption. In: Constructed Wetlands in Water Pollution Control. Pergamon Press ,Oxford, UK,1990,97~105

[13] Steiner G R, et al. Configuration and substrate design consideration for constructed wetlands wastewater treatment. In: Constructed wetlands for Wastewater Treatment. D. A. Hammer,Lewis Publishers, Michigan ,1989,363~377

[14] Wood A. Constructed wetlands for wastewater treatment—engineering and design considerations. In: Constructed Wetlands in Water Pollution Control (Adv. Wat. Pollut. Control no. 11), P. F. Cooper, B. C. Findlater (eds), Pergamon Press, Oxford, UK,1990, 481~494

[15] Laak R. Wastewater Engineering design for unsewered areas. Technomic Publishing, Lancaster, penn. 1986

[16] M B Green, J Upton. Constructed reed beds: a cost－effective way to polish wastewater effluents for small communities. Water Environ. Res. , 1994,66,188~192

[17] K R Reddy, E M D Angelo. Biogeochemical indicators to evaluate pollutant removal efficiency in constructed wetlands. Wat. Sci. Tech. ,1997,35(5), 1~10

[18] Bortone G,et al. Biological anoxic phosphorus removal－the Dephanox process. Wat. Sci. Tech. ,1996,34(1－2),119~128

[19] Kern－Jespersen J.P,Henze M. Biological phosphorus uptake under anoxic and oxic condition. Wat. Res. ,1993,27(4):617～624

[20] Jenicek P,et al. New configuration of NDEBPR system—experimental verification with municipal wastewater. Newsletters of the IAWQ specialist Group on Activated Sludge population Dynamics. 1993,5(2):11～15

[21] 张希衡,等. 废水厌氧生物处理工程. 北京:中国环境科学出版社,1995

[22] 汪民,吴永锋,钟佐燊,等. 污水快速渗滤土地处理. 北京:地质出版社,1993

[23] Lance J. C. Nitrogen removal by soil mechanism. WPCF, 1972, Vol.44,No.7

[24] Mercado A, M. Libhaber and M. I. M. Soares. In situ biological groundwater de nitrification : Concepts and preliminary field tests. Wat. Sci. Tech. , 1988,Vol.20, No.3:197～209

[25] Janda V, J. Rudovsky, J Wanner,K Marha. In situ denitrification of drinking water. Wat. Sci. Tech. , 1988, Vol.20, No.3:215～219

[26] Soares M. I. ,S Belkin,A Abeliovich. Biological groundwater denitrification: Laboratory studies. Wat. Sci. Tech. , 1988 , Vol.20, No.3:189～195

[27] 朱兆良. 土壤中氮素的迁移和转化的研究近况. 土壤学进展,1979

[28] 李良谟.我国土壤硝化反硝化作用研究概况与展望.全国土壤氮素学术讨论会,1986

[29] 区自清.根据我国污灌现状建设污水土地处理系统.农业环

境保护,1989

[30] Kinzelbach, W Schafer,J Herzer. Numerical molding of natural and enhanced denitrification processes in aquifers. Wat. Res. Research, 1991(6):1123~1135

[31] J Grossmann, B Merkel, A Faust. One-dimensional simulation of the impact of nitrogen fertilizers on the carbonate equilibrium. Contaminant transport in groundwater, 1989: 163~169

[32] Cho C M. Oxygen consumption and denitrification kinetics in soil. Soil Sci. Soc. Am. J., 1982,46:756~762

[33] Zhou Q, Chen H K. The activity of nitrifying and denitrifying bacteria in paddy soil. Soil Sci., 1983,135:31~34

[34] 倪吾钟,沈仁芳,朱兆良. 不同氧化还原电位条件下稻田土壤中 15N 标记硝态氮的反硝化作用. 中国环境科学,2000,20(6):519~523

[35] 赵林,王榕树,林学钰. 地下水中氮的表现形式极其污染的微生物控制. 环境科学学报,1999,19(4):443~447

[36] 赵林,魏连伟,林学钰. 不同状态下包气带除氮及阻止氮污染能力的试验研究. 环境科学学报,2001,21(2):162~166

[37] Mulder A,Kuenen J. G. Anaerobic ammonium oxidation discovered in a denitrifying fluidized bed reactor. FEMS Microbiology Ecology, 1995,16:177~184

[38] Roberson L. A,Kuenen J.G. Combined heterotrophic and aerobic denitrification in Thiosphaera pantotropha and other bacteria. Antonie Van Leeuwenhook, 1990,57:139~152

[39] Book E,Zart D. Nitrogen loss caused by denitrifying Nitrosomonas cells using ammonium or hydrogen as electron donors and nitrite as electron acceptor. Arch Microbiology, 1995,

163:16～20

[40] Freitag A,Book E. Growth of Nitrobacter by dissimilatory nitrate reduction. FEMS Microbiology Letters, 1987,48:105～109

[41] Abeliovich A, Vonshak A. Anaerobic metabolism of Nitrosomonas europaea. Arch Microbiology,1992,156:267～270

[42] 王建龙. 氨的厌氧氧化. 生命的化学,1997,17(6):37～38

[43] 沈照理,朱宛华,钟佐燊. 水文地球化学.北京:地质出版社,1993

[44] 戴树桂,等.环境化学.北京:高等教育出版社,1997

[45] Eary L.E. and Rai D. Chromate removal from aqueous wastes by reduction with ferrous ion. Environ. Sci. Technol. ,1988,22:972～977

[46] 王立军,等. 土壤水介质中 Cr(Ⅲ)与 Cr(Ⅵ)形态的转化. 环境科学,1982,3:38～42

[47] Bartlett R J,Kimble J M. Behavior of chromium in soils:Ⅱ. Hexavalent forms.Environ. Qual. ,1976,5:383～386

[48] Goodgame D. M. L, Hayman P. B,et al. Formation of water soluble chromium (Ⅴ) by the interaction of humic acid and the carcinogenic chromium (Ⅵ). Inorg. Acta,1984,91:113～115

[49] Stollenwerk K. G,Grove D. B. Reduction of hexavalent chromium in water samples acidified for preservation. Environ. Qual. ,1985,14:396～399

[50] Saleh F. Y,et al. Kinetics of chromium transformations in the environment. The Science of the Total Environment, 1989, 86:25～41

[51] Rai D, Sass B. M,Moore D. A. Chromium (Ⅲ) hydrolysis

constants and solubility of chromium（Ⅲ）hydroxide. Inorg. Chem. , 1987,26:345～349

[52] Davis J. A,Leckie J. O. Surface ionization and complexation at the oxide/water interface. 3. Adsorption of anions. Colloid Interface Sci. ,1980,74:32～34

[53] Zachara J. M, Girvin D. C. et al. Chromate adsorption on amorphous iron hydroxide in the presence of major groundwater ions. Envir. Sci. Technol. ,1987,21,589～594

[54] Bartlett R,James B. Behavior of chromium in soils. Ⅲ. Oxidation. Envir. Qual. , 1979,8:31～35

[55] James B. R ,Bartlett R. J. Behavior of chromium in soils. Ⅶ. Adsorption and reduction of hexavalent forms. Envir. Qual. , 1983,12:177～181

[56] Selim H. M, Amacher M. C, et al. Modeling the Transport of chromium（Ⅵ）in soil columns. Soil Sci. AM. J. , 1989,53: 996～1004

[57] Amacher M. C, Selim H. M,et al. Kinetics of chromium（Ⅵ） and cadmium retention in soils: a nonlinear multireaction model. Soil Sci. Soc. Am. J. , 1988,52:398～408

[58] 陈英旭,等. pH、温度对土壤溶液中 Cr(Ⅵ)减少速率的影响, 环境科学,1992,13,7

[59] 张国梁. 六价铬 Cr(Ⅵ)在包气带和含水层土壤中的迁移转化机理及其应用研究:[博士论文]. 北京:北京大学,1994

[60] Cohen S Z. Treatment and Disposal of Pesticide Wastes, ACS Symposium Series 59 :297～325, American Chemical Society , Washington, D. C. ,1984

[61] 胡枭,樊耀波,等. 影响有机污染物在土壤中的迁移、转化行为的因素. 环境科学进展,1998(10):14～22

[62] Lambert S M. Functional relationship between sorption in soil and chemical structure. Agric. Food Chem. , 1967, 15: 572 ~ 576

[63] Chiou C T, Porter P E, Schmedding D W. Partition equilibrium of nonionic organic compounds between soil organic matter and water. Environ Sci Technol. , 1983, 17: 27 ~ 31

[64] 丁应祥, 朱琰, 等. 有机污染物在土壤—水体系中的分配理论. 农村生态环境, 1997, 13(3): 42 ~ 45

[65] Leenher J A, Ahlrichs J L. A Kinetic and equilibrium study of the adsorption of carbaryl and parathion upon soil organic matter surface. Soil Sci. Soc. Am. Proc. , 1971, 35: 700 ~ 704

[66] Karickhoff S W, Brown D S, Scott T A. Sorption of hydrophobic pollutants on nature sediments. Water Res. , 1979, 13: 241 ~ 248

[67] DiToro D M, Horzepa L M. Reversible and resistant components of PCB adsorption – desorption : Isotherms. Environ. Sci. Technol. , 1982, 16(9): 594 ~ 602

[68] Mingelgrin U, Gerstl Z. Reevaluation of partitioning as a mechanism of nonionic chemical adsorption in soils. Environ. Qual. , 1983, 12(1): 1 ~ 11

[69] Weber W J Jr. , McGinley P M, Katz L E. A distributed reactivity model for sorption by soil and sediments . 1. Conceptual basis and equilibrium assessments. Environ. Sci. Technol. , 1992, 26: 1956 ~ 1962

[70] Weber W J Jr. , Huang W. A distributed reactivity model for sorption by soil and sediments . 4. Intraparticle heterogeneity and phase – distribution relationships under non – equilibrium

conditions. Environ. Sci. Technol. , 1996,30:881~888

[71] Xing B, Pignatello J J, Gigiotti B. Competitive sorption be-
tween atrazine and other organic compounds in soils and model
sorbents. Environ. Sci. Technol. , 1996,30:2432~2440

[72] Wison J T, McNabb J F, Wilson B H, et al. Biotransforma-
tion of selected organic pollutants in ground water. Dev Ind
Microbiol, 1983,24:225~230

[73] Song H G, Bartha R. Bioremediation potential of terrestrial
fuel spills. Applied Environ. Microbiol, 1990,56:652~656

[74] Macintvre W. G. , M Boggs, C. P. Antworth, and T. B.
Stauffer, Degradation kinetics of aromatic organic solutes in-
troduced into a heterogeneous aquifer. Water Resour. Res. ,
1990,26(2):207~222

[75] Nielsen P. N, T. H. Christensen, Variability of biological
degradation of aromatic hydrocarbons in an aerobic aquifer de-
termined by laboratory batch experiments. Contam. Hydrol. ,
1994,15:305~320

[76] Lovley D. R, Woodard J. C,Chapelle F. H. Rapid anaerobic
benzene oxidation with a variety of chelated Fe(Ⅲ) forms.
Appl. Environ. Microbiol. ,1996,62:288~291

[77] Anderson R. T, Rooney − varga J. N, Gaw C. V, et al.
Anaerobic benzene oxidation in the Fe(Ⅲ) reduction zone of
petroleum − contaminated aquifers. Environ. Sci. Technol. ,
1998,32:1222~1229

[78] Edwards E. A,D. Grbic − Galic, Complete mineralization of
benzene by aquifer microorganisms under strictly anaerobic
conditions. Appl. Environ. Microbio. 1992,58:2663~2666

[79] Weiner J. M,Lovley D. R. Anaerobic benzene degradation in

petroleum − contaminated aquifer sediments after inoculation with a benzene − oxidizing enrichment. Appl. Environ. Microbiol. 1998,64:775~778

[80] Edwards E. A,Grbic − Galic D. R. Anaerobic degradation of toluene and o − xylene by a methanogenic consortium. Appl. Environ. Microbiol. , 1994,60:313~322

[81] Weiner J. M, Lovley D. R. Rapid benzene degradation in methanogenic sediments from a petroleum − contaminated aquifer. Appl. Environ. Microbiol. 1998,64:1937~1939

[82] Kuhn E. P, Zeyer J, Eicher P, et al. Anaerobic degradation of alkylated benzenes in denitrifying laboratory aquifer columns. Appl. Environ. Microbiol. 1988,54:490~496

[83] Lovley D. R. Potential for anaerobic bioremediation of BTEX in petroleum − contaminated aquifers. Journal of Industrial Microbiology & Biotechnology, 1997,18:75~81

[84] Alvarez P. J. J,T M Vogel. Degradation of BTEX and their aerobic metabolites by indigenous microorganisms under nitrate reducing conditions. Wat. Sci. Technol. , 1995,31:15 ~28

[85] Major D. W, Mayfield C. L and Barker J. F Biotransformation of benzene by denitrification in aquifer sand, Ground Water, 1988,26:8~14

[86] Burland S. M, Edwards E. A. Anaerobic benzene biodegradation linked to nitrate reduction, Appl. Environ. Microbiol. , 1999,65:529~533

[87] 吴玉成,钟佐燊,张建立. 反硝化条件下微生物降解地下水中的苯和甲苯. 中国环境科学,1999,19:505~509

[88] 李东艳. 砂土中柴油迁移土柱试验与反硝化条件下苯生物

降解微环境试验研究:[博士论文]. 北京:中国地质大学, 2000

[89] Timothy M, Vogel, Perry L. McCarty, Biotransformation of tetrachloroethylene to trichloroethylene , dichloroethylene, vinyl chloride, and carbon dioxide under methanogenic conditions. Appl. Environ. Microbiol. , 1985,49(5):1080~1083

[90] Roberts P. V, Schreiner F.E, Hopkins G.D. Field study of organic water quality changes during ground water recharge in the Palo aito Baylands, Water Res. 1982,16:1025~1035

[91] Mohn W. W, Tiedje J. M. Microbial reductive dehalogenation. Microbiol. Rev. , 1992,56:482~507

[92] Horvath R. S. Microbial co-metabolism and the degradation of organic compounds in nature. Bacteriol. Rev. , 1972,36: 146~155

[93] El-Farhan Y. H. , Scow K. M, Rolston D. E, et al. Coupling transport and biodegradation of toluene and trichloroethylene in unsaturated soils. Water Res. Research, 1993,34 (3):437~445

[94] Fan S, Scow K.M. Biodegradation of trichloroethylene and toluene by indigenous microbial populations in soil. Appl. Environ. Microbiol. 1993,59(6):1911~1918